図解 中学・高校 6年分の英語が 10日間で身につく本

長沢寿夫

長沢英語塾塾長

明日香出版社

◆カバーデザイン：藤田美咲
◆カバー・本文イラスト：田島ミノリ・末吉喜美

はじめに

本書を手に取ってくださったあなたに、まずは御礼を申し上げます。
英語を教えてその道一筋 39 年になる、長沢寿夫です。

この本は、「英語の勉強、やり直したいけど、どこからどうはじめればよいのかサッパリわからない方」に向けて私が伴走者となるべく書き下ろした『中学・高校 6 年分の英語が 10 日間で身につく本』の図解版です。

- ・中学でも高校でも英語は苦手だった。
- ・TOEIC のスコアを上げるために文法をマスターしたい。
- ・現役中高生だが、英語が苦手。なんとか成績を上げたい。

そんな方にぜひ手に取っていただきたいですね。

おかげさまで『中学・高校 6 年分の英語が 10 日間で身につく本』は、2016 年の発売以来、たくさんの方に共感していただき、23 万人を超える方が勉強してくださいました。

「あまり専門用語を使っていないところがよかった。

各ページの見出しが独特でおもしろかった。」
「今まで数十冊の英語の本でふに落ちなかったことが、理解でき（読み切れ）た。

中学生だった自分（英語につまずいた自分）に、この本を見せてあげたい。

この本を英語の教科書にして、日本中の中学生に届け、英語を好きになってほしい。」

そんな感想をいただけたのも、長年蓄積してきた長沢式英語独自のメソッドをふんだんに入れて、私独自の説明で書いたからだと思っています。
私の説明は独特で、「カ・トンボ・ツバメの法則」とか「文とかたまりで関係代名詞をマスターする」とか、学校の先生が説明してくれないような、他の学習書にないような説明がたくさん出てきます。

今回の図解版でも、長沢式メソッドのおもしろさはそのままに、さらに図解やイラストでわかりやすさをパワーアップしました。

英語が今までとは違って見えてくる。

中高 6 年分の英語の概要が頭にスッと入る。

そんな体験を、ぜひあなたもしてみてください。
もし本の説明だけでおわかりにならなかった場合、わかっていただくまで 1 人ひとり、とことんフォローさせていただきますよ。
巻末についている「質問券」を明日香出版社にお送りいただければ、いつでも私本人から手紙や FAX、電話で回答させていただきます。

「喜びをもって勉強すれば，喜びもまたきたる」この言葉をあなたに贈ります。　　　長沢寿夫

1日目

英語の見方が変わる！長沢式7大法則

さあ、1日目がはじまります。
1日目では…
「カ，トンボ，ツバメの法則」
「英語は動詞を大切にする」
「副詞はおまけ」など，ユニークかつ明快な法則が目白押しです。
長沢式英語の"幹"になる部分なので，しっかりおさえていきましょう。

01 カ，トンボ，ツバメの法則

同じ種類の言葉が 2 つ以上続くとき，
「カ，トンボ，ツバメ」の順に並べる。
つまり，小さい物から大きい物に並べればよい。

ときや場所など，同じ種類の言葉が
たくさんあって順番に困ったときに，
この法則を使ってください。

カ　　トンボ　　　ツバメ

小さい物が大きい物に食べられる

例 私はきのうの 午後 3 時に 英語を勉強しました。

「きのうの」「午後」「3 時に」は 3 つとも同じ種類の言葉（とき）をあらわしています。
大きさ（長さ）で並べると、「きのうの」＞「午後」＞「3 時に」の順に大・中・小（ツバメ・トンボ・カ）となりますね。
日本語では大→小の順で言いますが、**英語では小→大**の順で言います。

I studied English at three in the afternoon yesterday.
（小）　　　（中）　　　　　　（大）

例 私は兵庫にある丹波篠山市に住んでいます。

I live in the city of Tamba-Sasayama in Hyogo.
（中）　　＜　　（大）

練習問題

次の日本語と英語のヒントをもとに、英文を作ってください。

（1）私は　　毎朝　　　6 時に　　起きます。
　　　I　every morning　at six　　get up

（2）私は　　昨夜　　10 時に　　寝ました。
　　　I　last night　at ten　　went to bed

（3）私は　　渋谷の　　ハチ公像のところで　　直美さん　と出会った。
　　　I　in Shibuya　at Hachiko Statue　　Naomi　　met

どちらが
広いかな？

（1）I get up at six every morning. （2）I went to bed at ten last night. （3）I met Naomi at Hachiko Statue in Shibuya.

1日目
2日目
3日目
4日目
5日目
6日目
7日目
8日目
9日目
10日目

02 英語はことばの キャッチボールだ

「私は、行ってきました」

「丹波篠山市へ行きました」   「どこへ？」

「きのう行ってきたんです」   「いつ？」

のように、英語は疑問とこたえで進んでいく。

例 私は丹波篠山市をよく知っています。

私は知っているよ　I know

　〔何を？〕

丹波篠山市　　　　the city of Tamba-Sasayama

　〔どれくらい？〕

よく　　　　　　　well

　→　I know the city of Tamba-Sasayama well.

例 私はきのう丹波篠山市へ行った。

私は行った　　　　　　　　I went

　〔どこへ？〕　　〈 to 〉

丹波篠山市　　　　　the city of Tamba-Sasayama

　〔いつ？〕

きのう　　　　　　　　yesterday

　→　I went to the city of Tamba-Sasayama yesterday.

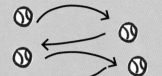

ココが大切

どこへ？となっているときは、＜へ＞を先に置くと、どこかという疑問が生まれるので「丹波篠山市」があとからきます。
前置詞 **to**（へ）、**in**（に）、**on**（の上に）、**with**（といっしょに）のような単語を先に置くと疑問が生まれるので、そのこたえを次に言うのです。

例 直美さんといっしょに

　＝いっしょに〔だれと？〕直美さん
　　with　　　　　　　　Naomi

練習問題

次の（　　　）に並べる順番を入れてください。

（1）私は　毎日　学校　　へ　行きます。
　　（　）（　）（　）（　）（　）.

（2）私は　毎日　直美さんと　いっしょに　遊びます。
　　（　）（　）（　）（　）（　）.

（3）私は　きのう　この本を　買う　ために
　　（　）（　）（　）（　）（　）
　　ここへ　　きました。
　　（　）（　）.

---

03 英語はグループで動く

日本語を英語に訳すとき、
単語と単語が１つのグループのようにして動きます。

a book	１冊の本
my book	私の本
this book	この本
this old book	この古い本
an old book	１冊の古い本

tea	お茶
some tea	いくらかの量のお茶
a lot of tea	たくさんの量のお茶
a cup of tea	コップ１ぱいのお茶

old	古い
very old	とても古い

day	日
every day	毎日

名詞を説明しているものがあるときは、**(説明している部分)＋名詞**がひとつのグループとなります。

例	これは本です。	This is a book.
例	これは古い本です。	This is an old book.
例	この本はとても古い。	This book is very old.

練習問題

次の（　　　）に適語を入れてください。

（１）私はこの本がほしい。

I want （　　　）（　　　）.

（２）私はコップ１ぱいのお茶がほしい。

I want （　　　）（　　　）（　　　）（　　　）.

（３）このお茶はとても古い。

（　　　）（　　　）is（　　　）（　　　）.

（４）私はたくさんの量のお茶を毎日飲みます。

I drink （　　　）（　　　）（　　　）（　　　）（　　　）（　　　）.

（１）this book　（２）a cup of tea　（３）This tea, very old　（４）a lot of tea every day

1日目
2日目
3日目
4日目
5日目
6日目
7日目
8日目
9日目
10日目

04 句は「かたまり」，節は「主語＋動詞」ではたらく

句＝単語が 2 つ以上あるかたまり。
節＝「接続詞＋主語＋動詞」「関係代名詞＋動詞」「関係代名詞＋主語＋動詞」などになっているもの。

まず，名詞，形容詞，副詞，それぞれのはたらきをおさえましょう。

ボクはここの校長だよ！

名詞 「何を，何が」という疑問が生まれる

形容詞
名詞をくわしく説明

すごく元気な校長だ…

あそこにいる

副詞 おまけ。その句や節がなくても，残りの英語で意味がわかる

名詞のはたらき

例 私は私たちの息子（むすこ）が先生であるということを誇り（ほこ）に思っています。

I am proud that our son is a teacher. 名詞節
私たちの息子が先生であるということ

= I am proud of our son's being a teacher. 名詞句

形容詞のはたらき

例 黒い髪のあの少年＝黒い髪をしているあの少年

that boy whose hair is black 形容詞節
　　　　↖ that boy（名詞）を説明

= that boy who has black hair 形容詞節

= that boy with black hair 形容詞句

完全な文の前に that を置くと，文を名詞のはたらきのかたまり〔名詞節〕にすることができるよ。
my car is good → that my car is good
私の車は上等です→私の車が上等であるということ

副詞のはたらき

例 もし明日雨ならば，私は家にいます。　If it rains tomorrow, I will stay home. 副詞節
例 私は自転車で学校へ行きます。　I go to school by bike. 副詞句

 練習問題

次の（　　　）に適語を入れてください。
（1）私はバスで学校へ行きます。　I go to school（　　　）（　　　）.
（2）黒い目をしているあの少年　that boy（　　　）dark eyes
（3）私は池上さんが松本市に住んでいるということを知っています。
　　　I know（　　　）Mr.Ikegami lives in the city of Matsumoto.

 （1）by bus　（2）with　（3）that

05 〈何を〉〈何が〉の疑問が生まれたら名詞

英語を読んで，「何を，何が，何」のような疑問が生まれることがある。
それに答える単語，句，節は，名詞のはたらきをしている。

＜何を＞＜何が＞＜何＞という疑問が生まれる＝名詞

例 私はあの少年を知っています。

I know （だれを？） that boy. 名詞句
私は知っています　　　あの少年

I know ？ that boy.
〈誰を？〉

例 私は佐知子さんが好きです。

I like （だれを？） Sachiko. 名詞
私は好きです　　　佐知子さん

例 私は佐知子さんが客室乗務員（CA）であるということを知っています。

I know （何を？） that Sachiko is a cabin attendant. 名詞節
私は知っています　　佐知子さんが客室乗務員（CA）であるということ

例 私の夢は英語の先生になることです。

My dream is （何？） to be an English teacher.
私の夢は〜です　　　英語の先生になること

to 不定詞の名詞的用法

例 本を集めることは私の趣味です。

Collecting books is （何？） my hobby.
本を集めることは〜です　　　私の趣味

動詞に ing をつけて名詞にした動名詞

× Watching YouTube is my hobby.
「努力の必要なもの」に hobby を使うので，「YouTube を見ることは私の趣味です。」の「趣味」に hobby を使うことはできません。代わりに pastime（娯楽）を使ってください。

練習問題

次の（　　）に名詞のはたらきをする適語を入れてください。
（1）コインを集めることは私の趣味です。
　　　（　　　）（　　　　）is my hobby.
（2）薫さんの夢は客室乗務員（CA）になることです。
　　　Kaoru's dream is （　　　）（　　　）a CA.
（3）あなたはあおいさんが医者をしているということを知っていますか。
　　　Do you know （　　　）Aoi is a doctor?

（1）Collecting coins　（2）to be（または become）　（3）that

10

1日目
2日目
3日目
4日目
5日目
6日目
7日目
8日目
9日目
10日目

06 形容詞は「名詞の説明係」

boy「少年」という単語から〈どんな少年？〉といった疑問をいだくとする。
そのとき「どんな」にあたる単語，句，節は，形容詞のはたらきをしている。

あの少年（どんな少年？）

救助された

知ってる

私

背が高い

走ってる

**名詞をくわしく説明
＝形容詞**

〈背が高い〉あの少年

　　that〈tall〉boy
　　　　　　形容詞

〈救助された〉あの少年

　　that〈saved〉boy
　　動詞の過去分詞形で形容詞のはたらきをしている

〈トニー君に救助された〉あの少年

　　that boy〈saved by Tony〉　形容詞句

〈走っている〉あの少年

　　that〈running〉boy
　　動詞のing形で形容詞のはたらきをしている

〈あそこで走っている〉あの少年

　　that boy〈running over there〉　形容詞のはたらきをしている句

〈私が知っている〉あの少年

　　that boy〈（whom）I know〉　形容詞のはたらきをしている節

ぜんぶ
形容詞のはたらきを
しているね

that（●）boy

説明するのが1単語だと、
ここに入る

説明するのが2単語以上だと、
ここに入る

that boy（●●●）

練習問題

次の（　　　）に形容詞のはたらきをする適語を入れてください。
（1）背が低いあの少年
　　　that（　　　　）boy
（2）泳いでいるあの少年
　　　that（　　　　）boy
（3）あそこで泳いでいるあの少年
　　　that boy（　　　　）over there

（1）short　（2）swimming　（3）swimming

07 文の「おまけ」の副詞

文の中でその単語，句，節をかくしてみて，残った英語だけで意味がわかるとき，
かくした単語，句，節のはたらきを副詞と言う。
かんたんに言うと，「副詞はつけくわえ（おまけ）」のことだ。

下線部をかくしても，残りの英文だけで意味がわかるので，下線部は**副詞のはたら
き**をしていることがわかります。

例 私は速く走ることができる。 → 私は走ることができる。
　　I can run fast. → I can run.
　　　　　　 副詞

例 私はときどき東京へ行きます。 → 私は東京へ行きます。
　　I sometimes go to Tokyo. → I go to Tokyo.
　　　　　　 副詞

例 私はあなたに会えてうれしいですよ。 → 私はうれしいですよ。
　　I am happy to see you. → I am happy.
　　　　　　 to 不定詞の副詞的用法

例 もし明日雨が降れば，私は家にいます。 → 私は家にいます。
　　If it rains tomorrow, I'll stay home. → I'll stay home.
　　　　　　 副詞節

例 私は学校へ自転車で行きます。 → 私は学校へ行きます。
　　I go to school by bike. → I go to school.
　　　　　　 副詞句

副詞はおまけ

練習問題 ....

次の（　　　　）に副詞のはたらきをする適語を入れてください。

（1）私は速く走ることができません。
　　 I can't run（　　　　）.

（2）私はときどき英語を勉強します。
　　 I（　　　　）study English.

（3）私は自転車で会社〔事務所〕へ行きます。
　　 I go to the office（　　　　）（　　　　）.

これがなくても
文がなりたっているから
副詞なんだね

（1）fast （2）sometimes （3）by bicycle〔bike〕

2日目

文型・
いろいろな文

2日目では…
基本の文（肯定文・否定文・疑問文）
文型
感嘆文
進行形など，盛りだくさんの内容で法則をお伝えします。
途中でわからなくなっても落ち着いて。
まずは「法則」を何回も読み返してみましょう。

08 肯定文は「ふつうの文」

長沢式英語では，肯定文をふつうの文と呼んでいる。
かんたんに言うと，「主語＋動詞」がきていて，not が入っていなければ肯定文。

肯定文とは，否定文（〜は〜ではない），疑問文（〜は〜ですか）のどちらでもない
文です。
〔主語＋動詞タイプ〕と〔主語＋be 動詞タイプ〕があります。

主語＋動詞タイプ

例 私は毎日歩きます。

   I walk every day.

主語＋動詞

例 私は東京タワーを見たことがあります。

   I have seen Tokyo Tower.

主語 ＋ 動詞

例 私はきのうこの本を買った。

   I bought this book yesterday.

主語＋動詞

主語＋be 動詞タイプ

例 私はいそがしい。

   I am busy.

主語＋be 動詞

例 私の部屋に2ひきのネコがいます。

   There are two cats in my room.

     be 動詞 ＋ 主語

= Two cats are in my room.

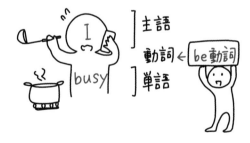

 練習問題

次の（　　　）に適語を入れてください。

（1）こちらは池上悟朗さんです。

   This（　　　）Mr.Goro Ikegami.

（2）私は和田薫さんを知っています。

   I（　　　）Ms.Kaoru Wada.

（3）私はきのういそがしかった。

   I（　　　）busy yesterday.

（1）is　（2）know　（3）was

1日目
2日目
3日目
4日目
5日目
6日目
7日目
8日目
9日目
10日目

09 動詞は「最後がウ段」

日本語で言うと，最後の音がウ段で終わっていて，動作をあらわしているものか，状態が長く続いているものが動詞（一般動詞）である。
動詞には，「動作をあらわすものと状態をあらわすもの」がある。

動作をあらわす

たとえば，「食べる」「走る」という動詞の場合，「食べると口が動く」，「走るならば足が動く」のように考えることができるので，「動作をあらわす動詞」と考えることができます。

Put on this cap.
　　このぼうしをかぶってね。

「ウ段で終わる」と動詞

taberu（食べる），hashiru（走る）のようにウ段で終わっているので，動詞であると考えることができます。

状態をあらわす

状態には2つのパターンがあります。

`①動詞パターン`

長い間，状態が続いているものは動詞
「〜を知っている」(know)は，「一度知るとずっと知っている」ので，状態をあらわす動詞なのです。

`②形容詞のはたらきをする単語のパターン`

一時的に状態が続いているものは，形容詞のはたらきをしている単語
「走っている」(running)は，「走る(run)という動作をあらわす動詞が一時的に状態に変わる」ことから形容詞のはたらきをする単語であることがわかります。

Wear this cap while you are here.
　　ここにいる間は，このぼうしをかぶっていなさい。

Tony is wearing glasses.
　　トニー君はめがねを今はかけています。

`練習問題`

次の動詞は動作と状態のどちらをあらわしているか日本語訳を参考にして答えてください。

（1）wear（〜を着ている）　　　→（　　　　　）
（2）put on（〜を着る）　　　　→（　　　　　）
（3）sleep（眠る）　　　　　　　→（　　　　　）
（4）go to bed（床につく，眠る）→（　　　　　）
（5）teach（〜を教える）　　　　→（　　　　　）
（6）teach（〜を教えている）　　→（　　　　　）

（1）状態　（2）動作　（3）状態　（4）動作　（5）動作　（6）状態

10 be 動詞は動詞がないときに

日本語の文を読んで, 動詞がなければ主語の次に be 動詞を置く。
「主語 + be 動詞 + 単語.」で文法的に正しい英文がつくれる。
ただし, ここで言う動詞は「一般動詞」のこと。

まずは, 日本語で考えましょう。
次の 6 つの文には動詞が「ある」ものと「ない」ものがあります。

① 私は走る。　　　　　　　　　　動作をあらわす動詞　→動詞が「ある」
② 私は悟朗さんを知っています。　状態をあらわす動詞　→　　　　「ある」
③ 私は走っています。　　　　　　状態をあらわす形容詞　→　　　「ない」
④ 私はみんなに知られています。　状態をあらわす形容詞　→　　　「ない」
⑤ 私は先生です。　　　動詞の代わりに be 動詞 + 名詞　→　　　「ない」
⑥ 私はいそがしい。　　　　　　　状態をあらわす形容詞　→　　　「ない」

このように考えて, 動詞が日本語の文にない場合は, 「**主語 + be 動詞 + 単語.**」にすると完全な英文になります。

① I run.　　　　② I know Goro.

③ I am running.
　　be 動詞 + 単語

主語
動詞

④ I am known to everyone.
　　be 動詞 + 単語

⑤ I am a teacher.
　　be 動詞 + 単語

主語
動詞 ← be 動詞
単語

⑥ I am busy.
　　be 動詞 + 単語

練習問題

次の (　　　　) に適語を入れてください。
（1）あなたは酒井直美さんを知っていますか。
　　Do you (　　　　) Naomi Sakai?
（2）直美さんは黒い車を 1 台もっています。
　　Naomi (　　　　) a black car.
（3）直美さんは背が高い。
　　Naomi (　　　) (　　　　).

「私は幸せです」を I am happiness. にすると, 「私 = 幸せ」となり, 名詞を使うことはできません。
この場合は, 「幸せな状態にある」という意味なので, I am happy. となります。
ただし I am all happiness. 「私はとても幸せです。」という表現はあります。

  （1）know　（2）has（3）is tall

1日目
2日目
3日目
4日目
6日目
7日目
8日目
9日目

11 「〔1〕〔2〕 not」でつくる否定文

否定文とは,「〜ではない」という意味をあらわしている文。
「助動詞のはたらきをしている単語 + not」であらわす。
否定文は,「〔1〕〔2〕 not」でかんたんにつくれる。

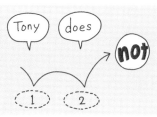

助動詞のはたらきをする単語
be 動詞 is, am, are
現在完了形 have〔has〕
助動詞 do, does, did, can, will, may, shall など

You aren't busy.
　あなたはいそがしくない。
You haven't seen Tokyo Tower.
　あなたは東京タワーを見たことがない。
You don't have a cat.
　あなたはネコを飼(か)っていない。

> **STEP 1** 主語と他の単語を結びつけて,意味が1番よくわかる単語の前に not を入れる。
>
> **STEP 2** 〔1〕〔2〕 not を当てはめて、〔2〕に助動詞のはたらきをする単語を入れる。

例 Tony speaks English.　肯定文＝ふつうの文

STEP 1 主語と他の単語を結びつけて意味のつながりを見る

- Tony speaks（トニー君は話す）←意味がよくわかる！ 〇
- Tony English（トニー君は英語）←意味が通じない ✕

→「トニー君は話す」の方が意味がよくわかるから,speaks の前に not を入れる。

STEP 2 〔1〕〔2〕 not を文の下に置く。

〔1〕には Tony が
対応してるんだね

Tony〔　　〕 **not** speaks English.
〔1〕　〔2〕　not

→〔2〕に対応するものがなく、動詞に s がついているので、〔2〕に does を入れ、動詞の s をとる。

Tony **does** not speak English.　否定文　完成
〔1〕　〔2〕　not

練習問題

次の文を英語の否定文にしてください。
（1）私は泳ぐことができます。
　　（ヒント）I can swim.
（2）かおるさんは大きいイヌを飼っています。
　　（ヒント）Kaoru has a big dog.

（1）I can not〔cannot,can't〕swim.　（2）Kaoru does not〔doesn't〕have a big dog.

12 「〔2〕〔1〕 ～？」でつくる疑問文

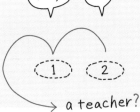

疑問文とは、「～ですか」のように相手にたずねるときに使う。
「助動詞のはたらきをしている単語＋主語～？」であらわす。
疑問文は「〔2〕〔1〕 ～？」でかんたんにつくれる。

STEP 1 主語と他の単語を結びつけて、意味が1番よくわかる単語の前に not を入れる。
STEP 2 文に「〔1〕〔2〕 not 」を当てはめて、〔2〕に助動詞のはたらきをする単語を入れる。
STEP 3 「〔2〕〔1〕 ～？」の形にする。

例 Tony is a teacher.　肯定文＝ふつうの文

STEP 2 「〔1〕〔2〕 not 」で否定文をつくる。
Tony is not a teacher.　否定文
〔1〕〔2〕 not

STEP 3 「〔2〕〔1〕 ～？」の形にする。
Is Tony a teacher?　疑問文
〔2〕〔1〕　　　？

STEP 1 主語と単語を結びつける
Tony is　トニー君は　だ　✗
Tony a teacher　トニー君は先生　◯
→ a teacher の前に not を入れる。

完成

例 You have a cat.　肯定文＝ふつうの文

STEP 2 「〔1〕〔2〕 not 」で not の前に助動詞を入れる。
You do not have a cat.　否定文
〔1〕〔2〕 not

STEP 3 「〔2〕〔1〕 ～？」の形にする。
Do you have a cat?　疑問文
〔2〕〔1〕　　　？

STEP 1 主語と単語を結びつける
You have　あなたは飼っている　◯
You a cat　あなたはネコ　✗
→ have の前に not を入れる。

完成

 練習問題

「〔1〕〔2〕 not ～」→「〔2〕〔1〕 ～？」を使って、否定文にしてから疑問文にしてください。

（1）あなたは泳ぐことができます。　You can swim.
　〔否定文〕
　〔疑問文〕

（2）あなたはお酒を飲みます。　You drink.
　〔否定文〕
　〔疑問文〕

  （1）You〔can not,cannot,can't〕swim.　Can you swim?　（2）You do not〔don't〕drink. Do you drink?

1日目
2日目
3日目
4日目
5日目
6日目
7日目
8日目
9日目
10日目

13 感嘆文は How と What

感嘆文には How のパターンと What のパターンがある。
How は形容詞とくっつきやすく，What は名詞とくっつきやすい。
おどろき・感動・喜び・悲しみ・苦しみなどをあらわす。

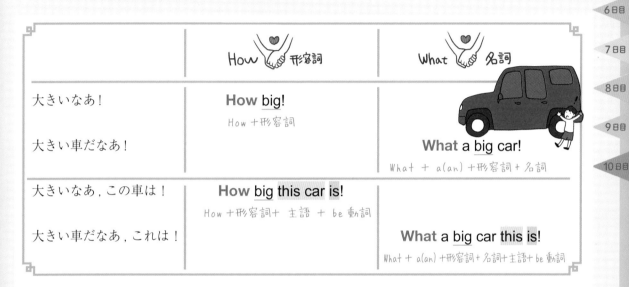

	How 形容詞	What 名詞
大きいなあ！	**How big!** How ＋形容詞	
大きい車だなあ！		**What a big car!** What ＋ a(an) ＋形容詞＋名詞
大きいなあ，この車は！	**How big this car is!** How ＋形容詞＋ 主語 ＋ be 動詞	
大きい車だなあ，これは！		**What a big car this is!** What ＋ a(an) ＋形容詞＋名詞＋主語＋be 動詞

感嘆文の最後に is があるのは，肯定文（ふつうの文）で書きかえることができるからです。

How big this car is! 感嘆文 = This car is very big. 肯定文＝ふつうの文
What a big car this is! 感嘆文 = This is a very big car. 肯定文＝ふつうの文

How は形容詞とくっつきやすく，What は名詞とくっつきやすいので，How big!（なんて大きいのだろう！）となり，What a car!（なんて車なんだろう！）となるのです。
この英文に big を入れると，What a big car!（なんて大きい車なんだろう！）になります。

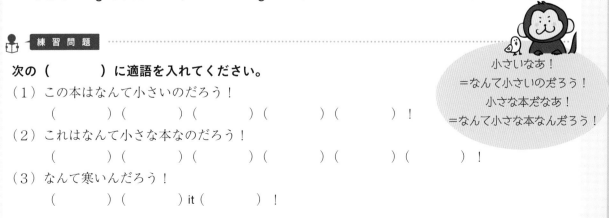

練習問題

次の （　　　　）に適語を入れてください。

（１）この本はなんて小さいのだろう！
　　　（　　　　）（　　　　）（　　　　）（　　　　）（　　　　）！
（２）これはなんて小さな本なのだろう！
　　　（　　　　）（　　　　）（　　　　）（　　　　）（　　　　）！
（３）なんて寒いんだろう！
　　　（　　　　）（　　　　）it（　　　　）！

> 小さいなあ！
> ＝なんて小さいのだろう！
> 小さな本だなあ！
> ＝なんて小さな本なんだろう！

（１）How small this book is（２）What a small book this is（３）How cold, is

14 第1文型は，「主語＋動詞.」が合い言葉

英語では，必ず「主語＋動詞.」を最初に言う。
「主語＋動詞.」で意味がわかる文のパターンを第1文型と呼ぶ。
第1文型は「だれ（何）がどうする」をあらわす。

英語の文は，5つの文のパターンに分けられます。
英語では，必ず「**主語**＋**動詞**.」を最初に言うことに
なっています。
「主語＋動詞.」で意味がわかる文のパターンを
第1文型と呼んでいます。

例 **I run**.　　（私は走ります。）

英語には，副詞（おまけ）が完全な英文のうしろについていることがあります。
おまけの副詞はなくても問題がないことから，「**主語**＋**動詞**＋**副詞**（おまけ）.」の英
文があっても，「主語＋動詞.」のパターンとして，第1文型と考えましょう。

例 **I run** in the park.（その公園で）
例 **I run** here.　　　　（ここで）
例 **I live** in the city of Tamba-Sasayama.　（丹波篠山市に）
例 **I live** around here.（このあたりに）

下線部に1単語だけだと副詞の
はたらきをしている単語で，
2単語以上だと，副詞句だね

この下線部をかくして，I run.（私は走ります。）にしても完全に意味がわかります。
I live（私は住んでいます）も完全ではないのですが，大体意味がわかります。

練習問題

次の（　　　）に適語を入れてください。
（1）私の父は夜に歩きます。
　　　My father（　　　　）at night.
（2）私の父は酒を飲みません。
　　　My father doesn't（　　　　）.
（3）私の父はたばこをすいません。
　　　My father doesn't（　　　　）.

（1）walks（2）drink（3）smoke

1日目
2日目
3日目
4日目
5日目
6日目
7日目
8日目
9日目
10日目

15 be 動詞を無視する第2文型

第2文型は「主語＋ be 動詞＋単語.」の形。
主語と単語をくっつけると，それだけで意味がよくわかる。
be 動詞の代わりに他の動詞がくることもある。

第2文型は，主語と単語だけで意味がわかる文です。つまり，be 動詞がなくても，意味がわかるということになります。
英語では，主語の次に動詞または be 動詞がこなければ完全な英文にはならないという決まりがあるので，be 動詞がきているだけなのです。

例 私はいそがしい。
　I am busy. → I busy （私は　いそがしい）

例 私はおなかがすいています。
　I am hungry. → I hungry （私は　おなかがすいている）

⚠ **ここをまちがえる！**

✗ You are happy. （あなたは幸せです。）

この英文は文法的にはあっていますが，実際には使いません（相手のことは相手にしかわからないから）。このようなときは，こう言います。

あなたは幸せそうに見えますよ。（look ＝～のように見える）

⭕ You look happy.
　　look が be 動詞の代わり

あなたはきっと幸せでしょう。

⭕ You must be happy.
　　must be が be 動詞の代わり

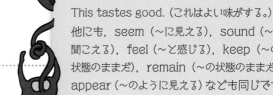

be 動詞以外でも，「主語＋動詞＋形容詞.」で第2文型になります。
This smells good. （これはよい香りがする。）
This tastes good. （これはよい味がする。）
他にも，seem（～に見える），sound（～に聞こえる），feel（～と感じる），keep（～の状態のままだ），remain（～の状態のままだ），appear（～のように見える）なども同じです。

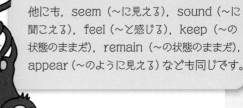

📖 **練習問題** ⋯⋯⋯⋯⋯⋯⋯⋯⋯⋯⋯⋯⋯⋯⋯⋯⋯⋯⋯

次の（　　　　）に適語を入れてください。
（1）池上さんはいそがしそうに見えます。
　（a）Mr.Ikegami（　　　　）busy.〔主観的な判断〕
　（b）Mr.Ikegami（　　　　）busy.〔外観による判断〕
　（c）Mr.Ikegami（　　　　）busy.〔そのように見えるが実際にはわからない〕
（2）私は幸せです。
　　　I（　　　　）（　　　　）.

（1）（a）seems（b）looks（c）appears　（2）am happy

21

16 〈何を〉〈だれを〉の 疑問が生まれたら第3文型

動詞のところで，〈何を〉または〈だれを〉という疑問が生まれるとき，
「主語＋動詞＋名詞．」のパターンの第3文型である。

第3文型では、動詞のあとに 何を？ だれを？
という疑問が生まれます。

例 私はあなたをとても好きです。

I   like   you   very much.

　動詞のあとに だれを？ という疑問が生まれる

例 私はあなたをよく知っています。

I   know   you   well.

　動詞のあとに だれを？ という疑問が生まれる

例 私は英語を上手に話します。

I speak   English   well.

　動詞のあとに 何を？ という疑問が生まれる

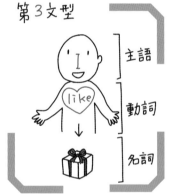

 練習問題 ·························

動詞のところでどんな疑問が生まれるのかに注意して次の（　　　　　）に適語を入れて
ください。

（1）私はイヌが好きです。

　　I（　　　　　）dogs.
　　　　　何が〔を〕？

（2）私は佐知子さんと結婚するよ。

　　I'll（　　　　　）Sachiko.
　　　　　だれと？

（3）私は私の父に似ています。

　　I（　　　　　）my father.
　　　　　だれに？

　（1）like　（2）marry　（3）resemble

1日目
2日目
3日目
4日目
5日目
6日目
7日目
8日目
9日目
10日目

17 他人をまきぞえにする他動詞

第1・第2文型では主語（自分）しか出てきませんが、第3文型では，主語（自分）とその他の名詞（他人）が出てきます。
このように，その他の名詞（他人）をまきぞえにする動詞を他動詞と呼びます。

動詞には，自動詞と他動詞があります。

第1・2文型で出てきた動詞は自動詞です。

他動詞は，**主語と動詞の次に名詞をとります。**

他 動 詞	自 動 詞

marry 〔メァゥリィ〕**～と結婚する**
例 私は佐知子さんと結婚するよ。

　I 'll marry Sachiko.

　　　動詞　　名詞

play 〔プレーィ〕**遊ぶ**
例 私は安紀子さんと遊ぶよ。

　I 'll play with Akiko.

　　動詞＋前置詞　名詞

他動詞＝自動詞＋前置詞です。
例 ～について話す

discuss〔ディスカス〕＝ talk about 〔トーカバーゥ・〕

例 ～に入る

enter〔エンタァ〕　　　＝ go into 〔ゴーゥ　イントゥ〕

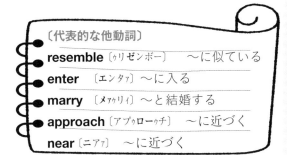

〔代表的な他動詞〕
resemble 〔ゥリゼンボー〕　～に似ている
enter 〔エンタァ〕 ～に入る
marry 〔メァゥリィ〕　～と結婚する
approach 〔アプゥローゥチ〕　～に近づく
near 〔ニアァ〕　～に近づく

練 習 問 題

次の（　　　）に適語を入れてください。
（1）この部屋に入ってはだめだよ。
　（a）Don't（　　　）this room.
　（b）Don't（　　　）（　　　）this room.

（2）日本について話しましょう。
　（a）Let's（　　　）Japan.
　（b）Let's（　　　）（　　　）Japan.

動詞の次に名詞がきているときは、第3文型
で、動詞の次に前置詞＋名詞がきているとき
は、第1文型です。
　私はこの部屋に入った。
　I entered this room.
　　　　　　　名詞　→第3文型
　I went into this room.
　　　　前置詞＋名詞＝副詞（おまけ）
　　　　　　→第1文型

（1）（a）enter （b）go into　（2）（a）discuss （b）talk about

18 「人＋物」で並ぶ第4文型

動詞のあとで，「だれに」と「何を」という疑問が生まれる文で，「人＋物」の順番に名詞が並んでいると，第4文型である。
文法用語で言うと，「主語＋動詞＋目的語＋目的語.」。

次のように「**主語＋動詞＋人物**」と並べます。

第4文型

> I　give　you　this book.
> 主語＋動詞＋　人　　物
> 私はあなたにこの本をあげるよ。

例 私はあなたに私の写真アルバムを見せてあげるよ。
　I 'll show　you　my photo album.
　　　　　　　　人　　　　　　物

命令文の場合には，You を言う必要がないので主語がありませんが，You がなくても第4文型です。

例 私に英語を教えてよ。
　Teach me English.
　　　　　人　　物
例 私にこの本を買ってよ。
　Buy me this book.
　　　　人　　　物
例 私に牛肉を料理してよ。（＝牛肉で何か料理してよ。）
　Cook me some beef.
　　　　　人　　　物

次の（　　　）に適語を入れてください。
（1）私に英語を教えてくださいよ。
　　　Please（　　　　）（　　　　）（　　　　）.
（2）私はあなたにこのカバンを買ってあげるよ。
　　　I'll（　　　　）（　　　　）（　　　　）（　　　　）.
（3）私はあなたにこの本をあげるよ。
　　　I'll（　　　　）（　　　　）（　　　　）（　　　　）.

（1）teach me English　（2）buy you this bag　（3）give you this book

1日目
2日目
3日目
4日目
6日目
7日目
8日目
9日目
10日目

19 チョコで理解！ 第3・第4文型の書きかえ

to → すでにそばにあるのですぐ相手に渡せる。

for → 手元にないので「作ったり買ったり」してから相手に渡す。

第4文型から第3文型に書きかえてみましょう。

I give you this chocolate. 第4文型
　　　　人　　物

I give this chocolate to you. 第3文型 give
　　　物　　　　＋to＋人

てもとと
to
to をかけている！

「チョコレートが手元にあるので **to** で渡す」と覚えてください。

すぐに渡せないものには **for** を使います。

for のグループ	to のグループ
buy, cook, make, find など	**give, show, teach** など

for me を「**私の代わりに**」と考えて，意味が食いちがうと **to**, もともとの文の意味とほとんど意味が変わらなければ **for** と考えてもよいでしょう。

トニー君は私にこの本をくれた。

✕ Tony gave this book for me.

「私の代わりに本をくれた」だと意味が食いちがう→ to

トニー君は私にこの本を買ってくれた。

◯ Tony bought this book for me.

「私の代わりに本を買ってくれた」だと意味が変わらない→ for

for me

buy

 練習問題 ......

次の（　　　　）に適語を入れてください。

（1）英語を私に教えてくださいよ。

Please（　　　　）（　　　　）（　　　　）（　　　　）.

（2）私はこのカバンをあなたに買ってあげるよ。

I'll（　　　　）（　　　　）（　　　　）（　　　　）.

（3）私はこの本をあなたにあげるよ。

I'll（　　　　）（　　　　）（　　　　）（　　　　）.

 （1）teach English to me （2）buy this bag for you （3）give this book to you

20 第5文型は、名詞と単語を引き合わせる

第5文型は「主語＋動詞＋名詞＋単語.」の順で並んでいる。
名詞と単語をくっつけると意味が完全にわかる。

次のように「**主語＋動詞＋名詞＋単語**」と並べます。

I	'll make	you	happy.
主語	動詞	名詞	単語

↑ここには、いろいろな品詞の単語がきます。

第5文型

名詞と単語をくっつけてみましょう。

I 'll make you happy.　（私はあなたを幸せにしてあげるよ。）
You are happy.　←このように be 動詞を補わなければならない場合もあります。

I heard you sing.　（私はあなたが歌うのを聞いた。）
You sing.

I heard you singing.　（私はあなたが歌っているのを聞いた。）
You were singing.

I 'll paint this wall white.（私はこのかべを白くぬるつもりです。）
This wall is white.

We call this cat Kuro.　（私たちはこのネコをクロと呼んでいます。）
This cat is Kuro.

heard you singing は「あなた
が歌っている一部を聞きました」
heard you sing は「あなたが
歌うのを最初から最後まで
聞きました」

練習問題

次の（　　　）に適語を入れてください。

（1）直美さんを幸せにしてあげてください。
　　Please（　　　）（　　　）（　　　）.

（2）私をトニーと呼んでよ。
　　（　　　）（　　　）（　　　）.

（3）私はあなたが走っているのを見ましたよ。
　　I（　　　）（　　　）（　　　）.

（1）make Naomi happy　（2）Call me Tony　（3）saw you running

21 "6変化"の進行形

動詞を動詞の ing 形にすることで，進行形「〜しているところだ」をあらわす。
(1) 現在進行形　　(2) 過去進行形　　(3) 未来進行形
(4) 現在完了進行形 (5) 過去完了進行形 (6) 未来完了進行形　がある。

現在進行形	過去進行形	未来進行形
〔is, am, are〕＋〜 ing	〔was, were〕＋〜 ing	will be ＋〜 ing

現在完了進行形	過去完了進行形	未来完了進行形
〔have, has〕been ＋〜 ing	had been ＋〜 ing	will have been ＋〜 ing

動作をあらわす動詞に ing をつけて，状態をあらわす形容詞のはたらきをする単語にするのが**進行形**です。現在進行形を中学校では，「今〜しているところだ」をあらわすと習いますが，「未来の予定」をあらわす場合があるので，時と場合によって，意味をとりちがえないようにしてください。

⚠ ここをまちがえる！

stand（立っている），live（住んでいる），wear（〜を着ている）は状態をあらわす動詞でふつう進行形にしませんが，一時的な動作や状態をあらわすときは動詞の ing 形にすることもあります。

例 トニー君はいつもめがねをかけています。
　 Tony always <u>wears</u> glasses.

例 トニー君は今日はめがねをかけています。
　 Tony <u>is</u> <u>wearing</u> glasses today.

> 久しぶりに出会った人に，
> 「今どこに住んでいるの？」
> というときは，
> "Where do you live?" ではなく
> "Where are you <u>living</u>?"
> と言います。

📖 練習問題

次の（　　　）に適語を入れてください。
(1) あなたはここで何をしているのですか。
　（　　　）（　　　）（　　　）doing here?
(2) あなたはそのとき何をしていたのですか。
　（　　　）（　　　）（　　　）doing then?
(3) 私はけさからずっと勉強しています。
　 I（　　　）（　　　）（　　　）since this morning.

（1）What are you　（2）What were you（3）have been studying

27

22 イライラしたら進行形

(1) 進行形と always をいっしょに使って，話し手の「不平，非難，いらだち」を あらわせる。
(2)「be + being +形容詞または名詞」で，「～のふりをしている」という意味になる。

always を進行形で使って，「いらだち」をあらわすことがあります。

例 Tony is always complaining about his small salary.
　　トニー君はいつも彼の安い給料の不満ばかり言っています。

be + being +形容詞または名詞で「～のふりをしている」を意味します。always + ing

例 Judy is being nice today.

　　ジュディーさんは今日は優しいふりをしています。

be + being +過去分詞形で「今～されています」を意味します。

例 Are you being helped?　　　　ご用はうけたまわっておりますか。

日常会話でよく使われる進行形のパターンがあります。

例 Judy is expecting.　　　　　　ジュディーさんはおめでたです。
例 I'm afraid I must be leaving.　　おいとまさせていただきます。

進行形を使えない動詞に ing をつけて使うことがあります。

例 You must be seeing things.　　きっと目の錯覚ですよ。
例 I'm hearing things.　　　　　　私は何か聞こえるような気がするんですよ。
例 Judy is having a baby.　　　　ジュディーさんは子どもができています。

 練 習 問 題

次の（　　　　）に適語を入れてください。
（1）私の息子はいつも遊ぶことばかりしています。
　　　My son is (　　　　) (　　　　).
（2）私たちの担任の先生は今日は親切なふりをしていますよ。
　　　Our homeroom teacher is (　　　　) kind today.
（3）正午にあなたをお待ちいたしております。
　　　I'll (　　　　) (　　　　) you at noon.

 （1）always playing　　（2）being　　（3）be expecting

28

3 日目

冠詞・名詞・助動詞

3日目では…
冠詞
名詞
助動詞に関する法則をご紹介します。
a と the の区別，数えられない名詞の表記のしかた，助動詞の使い分けなど，つまずきやすいところをわかりやすく説明しますよ。

23 はっきりしない a (an)

冠詞とは，名詞の前につく言葉。
a（an）は，何を指しているのかはっきりしていない1つ（1人）のものに使う。
「a（an）＋名詞」のかたちで覚える。

? 「あなたは**東京タワー**を見たことがありますか」とだれかにたずねられたら，あなたはどう答えるでしょうか。

おそらく「はい」または「いいえ」と答えるでしょう。
つまり，東京タワーはあなたにとっては，**はっきりしているもの**なのです。

? かりに，あなたが本屋に行って「**本をください**」と言ったら，本屋さんはどう答えるでしょうか。

「どんな種類の本ですか」または「何というタイトルの本ですか」と聞き返してくるでしょう。つまり，**どんな本かがはっきりしていない**のです。
このように，はっきりしないものが1つあるとき，
a＋名詞，この場合なら，**a book**と言うのです。

> ア，イ，ウ，エ，オ（母音）のうちのどれかが名詞のはじめにきているときには an を使います。
> an + apple〔アネァポー〕na, ni, nu, ne, no のように n と母音をくっつけて発音します。

練習問題

次の名詞の前に a（an） または 冠詞を必要としないときは、×を（　　　　）に入れてください。

（1）和田さん	（　　　）	Ms.Wada
（2）和田さんという人	（　　　）	Ms.Wada
（3）和田薫さん	（　　　）	Ms.Kaoru Wada
（4）この本	（　　　）	this book
（5）ある1冊の本	（　　　）	book
（6）私の1冊の本	（　　　）	my book
（7）丹波篠山	（　　　）	Tamba-Sasayama

> ふつう固有名詞には a をつけないけど、よく知らない人のことを言う場合，固有名詞の前に a を使うよ

 （1）×　（2）a　（3）×　（4）×　（5）a　（6）×　（7）×

1日目
2日目
3日目
4日目
5日目
6日目
7日目
8日目
9日目
10日目

24 はっきりしている the

名詞の前につく冠詞には，the もある。
はっきりしていなくて 1 つのものは a (an)。
はっきりしていて 1 つしかないものは the。

a と the のちがいをおさえましょう。

┌ これは（たくさんある中の 1 本の）ペンです。

　　This is **a** pen.
└ これが（1 本しかない）そのペンです。

　　This is **the** pen.

┌ 私は（いっぱいある中の）ある車を運転します。

　　I drive **a** car.
└ 私は（1 台しかない）その車を運転します。

　　I drive **the** car.

┌ トニー君はどこにでもいるような英語の先生ではありません。

　　Tony isn't **an** English teacher.
└ トニー君は英語の先生の鏡（かがみ）ですよ。

　　Tony is **the** English teacher.

What do you think?

the English teacher

🔊 ┤練 習 問 題├ ....

次の（　　　　）に適語を入れてください。

（1）これはカバンです。

　　This is （　　　　） bag.
（2）これがそのカバンです。

　　This is （　　　　） bag.
（3）あなたは英語の先生の鏡（かがみ）です。（1 人しかないレベルの英語の先生）

　　You are （　　　　） English teacher.
（4）トニー君はどこにでもいるような英語の先生ですよ。

　　Tony is （　　　　） English teacher.

（1）a　（2）the　（3）the　（4）an

31

25 数えられない名詞は 容器に入れてしまう

数えられない名詞とは，目に見えず指で数えることができない名詞。
数えられない名詞を数えたいときは，容器に入れて容器を数えるか，
a piece of をつけて数える。

英語には、数えられる名詞と数えられない名詞があります。
数えられる名詞は，目で見て指で数えることができますが，数えられない名詞に
ついては，いろいろと覚えなければいけないものがあります。

〔飲み物に関する数えられない名詞〕

冷たい飲み物は a glass of ＋名詞
温かい飲み物は a cup of ＋名詞

a glass of milk	1杯のミルク
two glasses of milk	2杯のミルク
a cup of coffee	1杯のコーヒー
two cups of coffee	2杯のコーヒー

〔数えられる名詞〕

1つなら a をつける
2つ以上なら名詞の最後に s をつける

a book	1冊の本
two books	2冊の本
a car	1台の車
two cars	2台の車

〔紙やチョークのように
原料を固めて作った名詞〕

a piece of paper
1枚の紙
two pieces of chalk
2本のチョーク

〔目に見えなくて，指で数えられない名詞〕

a piece of news	1つのニュース
a piece of advice	1つのアドバイス
a piece of information	1つの情報

a piece of
advice

🔖 練習問題 ‥‥‥‥‥‥‥‥‥‥‥‥‥‥‥‥

次の（　　　　）に適語を入れてください。

（1）1杯のお茶　　（　　　）（　　　）（　　　）tea
（2）2杯のお茶　　（　　　）（　　　）（　　　）tea
（3）1杯の水　　　（　　　）（　　　）（　　　）water
（4）2杯の水　　　（　　　）（　　　）（　　　）water
（5）2枚の紙　　　（　　　）（　　　）（　　　）paper
（6）1つのアドバイス　（　　　）（　　　）（　　　）advice

数えられない名詞は，わざわざ
数える場合をのぞいては，ふつ
う何もつける必要はありません。
No news is good news.
（便りのないのはよい知らせ。）

（1）a cup of （2）two cups of（3）a glass of （4）two glasses of（5）two pieces of（6）a piece of

1日目
2日目
3日目
4日目
5日目
6日目
7日目
8日目
9日目
10日目

26 ルールは守ろう！
many や much

many, a lot of, lots of →数えられる名詞に。
much, a lot of, lots of →数えられない名詞に。
many と much は，疑問文と否定文で使う。

〔数えられる名詞に使う〕

many dogs
a lot of dogs
lots of dogs

たくさんのイヌ

〔数えられない名詞に使う〕

much milk
a lot of milk
lots of milk

たくさんのミルク

many（たくさんの数の），**much**（たくさんの量の）は疑問文と否定文で使うことが多いのです。many を肯定文で使うと，かたい言い方になるのであまり使いません。much を肯定文で使うと，不自然だと言う英米人が多いので，できるだけ使わないようにしてください。

a lot of と **lots of** は，肯定文（ふつうの文）で使うことが多いようです。
ただし，話し言葉では，疑問文でも否定文でも使われます。

肯定文でも many や much を使うことができる場合があります。
(1) 例外的に「many ＋複数名詞」が主語になっているとき
(2) 下のように使う場合
too many, so many　とても多い数の
too much, so much　とても多い量の

 練習問題

次の（　　　）に適語を入れてください。
(1) 私はたくさんの本をもっています。
    I have (　　　) (　　　) (　　　) books.
(2) あなたはたくさんの本をもっていますか。
    Do you have (　　　) books?
(3) 私はたくさんの本をもっていません。（私はあまり本をもっていません。）
    I don't have (　　　) books.

 （1） a lot of　（2）many　（3）　many

27 お父さんは１人だから「no ＋単数名詞」

「１つも〜ない」のあらわし方は２通りある。
- （1）not 〜 a ＝ no ＋単数名詞
- （2）not 〜 any ＝ no ＋複数名詞

「１つも〜ない」という意味の英語は次のような言い方であらわせます。

not a = no ＋単数名詞

本来，**１人（１つ）**あるのがふつうの場合は「**no ＋単数名詞**」

例 トニー君にはお父さんがいません。
Tony does**n't** have <u>a</u> father.
Tony has **no** father.

not 〜 any = no ＋複数名詞

本来，**２人（２つ）以上**あるのがふつうの場合は「**no ＋複数名詞**」

例 トニー君には子どもがいません。
Tony does**n't** have <u>any</u> children.
Tony has **no** children.

※現代では，１人っ子の家庭が多くなってきましたが，ここでは昔の子だくさんだった時代を想像してください。

no ＋単数名詞、no ＋複数名詞

１つのときもあるし，２つ以上のときもあるときは
「**no ＋単数名詞**」または「**no ＋複数名詞**」のどちらでもよいのです。

例 私には姉妹がいません。
I have **no** <u>sisters</u>. ── no ＋複数名詞
I have **no** <u>sister</u>. ── no ＋単数名詞

🦫 練習問題 ....

次の（　　　）に適語を入れてください。

（1）トニー君にはお母さんがいません。
（a）Tony doesn't have（　　　）mother.
（b）Tony has（　　　）mother.

（2）私は車をもっていません。
（a）I don't have（　　　）car.
（b）I have no（　　　）.

（3）私は友だちがいません。
（a）I don't have（　　　）friends.
（b）I have（　　　）friends.

（1）（a）a （b）no （2）（a）a （b）car （3）（a）any （b）no

1日目
2日目
3日目
4日目
5日目
6日目
7日目
8日目
9日目
10日目

28 助動詞とセットで覚える書きかえ表現

助動詞の書きかえ表現を覚えると，英語が得意になる。

must = have〔has〕to	=	〜しなければならない
will = be going to	=	〜するつもりだ
can = be able to	=	〜することができる

助動詞を上のようにほぼ同じような意味で言いかえることができますが、少しニュアンスがちがうので注意しましょう。

例 あなたはここでは英語を話さなければならない。

(a) You **must** speak English here.　話し手の意思

　　話し手が思っていることを言っている

(b) You **have to** speak English here.　周りの事情

　　周りの事情から考えて言っている

例 私は明日東京へ行くつもりです。

(a) I **will** go to Tokyo tomorrow.

　　話をしている最中に，決めたときに使う言い方

(b) I **am going to** go to Tokyo tomorrow.

　　すでに決めていることを話すときの言い方

例 私は英語を話すことができますよ。

(a) I **can** speak English.

　　私はアメリカ人だから，自然に
　　覚えたので，話せますよ。I can speak English.

(b) I **am able to** speak English.　できることを強調

　　私は日本人だから，努力して
　　英語をマスターしましたよ。I am able to speak English.

🎤 練習問題

次の（　　　）に適語を入れてください。

（1）あなたはここでは日本語を話さなければならないですよ。

　（a）You（　　　　）speak Japanese here.

　（b）You（　　　　）（　　　　）speak Japanese here.

（2）私は泳げます。

　　I（　　　　）swim.

(3) を，I can swim. にすると，「私は（その気になれば）泳げると思うよ。」となります

（3）私は泳ぐことができます。

　　I（　　　）（　　　）（　　　　）swim.

（4）あなたは泳げるようになるでしょう。

　　You（　　　）（　　　）（　　　）（　　　）swim.

 （1）（a）must（b）have to （2）can （3）am able to （4）will be able to

29 強い順に助動詞を並べる

① must > ② have to> ③ had better> ④ need to> ⑤ be to> ⑥ should> ⑦ ought to

①が1番強く,⑦が1番弱い。
ただし,「should と ought to は同じぐらいである」と言う人もいる。

相手に命令またはアドバイスをしたいとき、次のような表現を使います。

① **must**	～しなければならない	話し手の命令
② **have to**	～しなければならない	周りの事情
③ **had better**	～した方がよい	
④ **need to**	～する必要があるよ	
⑤ **be to**	～しなければならないことになっている	周りの状況
⑥ **should**	～すべきですよ	話し手の意見
⑦ **ought to**	～すべきですよ	話し手の意見

> ⚠ **ここをまちがえる！**

You had better ～ . を「～した方がよい」とだけ学校で習うので,人にアドバイスするつもりで使うことがありますが,実際は「もし～しなければあとで困ったことになるよ」という意味をふくむので,**目上の人には絶対使ってはいけません。**

ていねいに「～した方がよいと思いますよ」と言いたいときは,次の表現を使ってください。

❶が1番ていねいで,あとは同じぐらいのていねいさです。

❶ You **might like to** take the bus.
❷ You **might** take the bus.
❸ You **could** take the bus.
❹ It **might be better** for you to take the bus.
❺ It **would be better** for you to take the bus.

> あなたはバスに
> 乗った方が
> よいと思いますよ

> ⚓ **練習問題**

次の( )に適語を入れてください。
(1) あなたは日本語を勉強すべきですよ。
　(a) You ( ) study Japanese.
　(b) You ( ) ( ) study Japanese.
(2) あなたは日本語を勉強しないとあとで困るよ。
　　You ( ) ( ) study Japanese.
(3) 私は日本語を勉強する必要があります。
　　I ( ) ( ) study Japanese.

  (1)(a) should　(b) ought to　(2) had better　(3) need to

1日目
2日目
3日目
4日目
5日目
6日目
7日目
8日目
9日目
10日目

30 英語にも敬語はある

次の助動詞を使って，「相手の意思をたずねる」，「相手に許可を得る」，
「相手に依頼をする」をあらわせる。
英語は過去形を使うと，控えめでていねいになる。

助動詞を使って , ていねいな気持ちをあらわせます。

Shall〔Should〕I〜？	〜しましょうか	
May I 〜？	〜してもよろしいですか	ていねい，目上の人に
Can I 〜？	〜してもいいですか	親しい人の間で
Will you 〜？	〜してもらえますか	上司が部下によく使う
Can you 〜？	〜してもらえますか	親しい人の間で
Would〔Could〕you 〜？	〜していただけますか	

▶ (a) Shall I open the door?　　　　　（私がその戸を開けましょうか。）
　 (b) Would you like me to open the door?　（私にその戸を開けてもらいたいですか。） 1番ていねい
　 (c) Do you want me to open the door?　（私にその戸を開けてもらいたいですか。）

(a)の代わりに，(b)(c)が日常会話でよく使われます。アメリカ英語では，Shall I 〜？
の代わりに Should I 〜？がよく使われます。Shall I 〜？は，かしこまった言い方で，
日常会話では使いません。

▶ 英語では，**過去形を使うと控えめになります**。Would〔Could〕you 〜？は，てい
ねいな言い方であることがわかります。

練習問題

次の（　　　　）に適語を入れてください。
（1）その窓を閉めてもらえる？
　（a）（　　　　） you close the window?　（上司が部下によく使う）
　（b）（　　　　） you close the window?　（親しい間柄でよく使う）
（2）その戸を閉めていただけますか。
　　　　（　　　　） you close the door?
（3）私が直美さんに電話をかけましょうか。
　（a）（　　　　） I call Naomi?
　（b）（　　　　） you （　　　　） me to call Naomi?

（1）（a）Will　（b）Can　（2）Would〔Could〕　（3）（a）Should〔Shall〕（b）Do, want〔Would, like〕

37

31 助動詞「やる気」の法則

① must →　　〜しなければならない，〜にちがいない
② should →　当然〜するべき，はずです
③ will →　　〜するつもり，〜でしょう
④ may →　　〜してもよい，〜かもしれない
⑤ can't →　　〜できない，はずがない

助動詞は、「**可能性**」もあらわします。やる気が１番あるのは①で，１番ないのは⑤です。
やる気があると何をやってもうまくいくので，次のように考えることができます。

僕は毎日勉強しなければならない。

I must study every day.

→ Shun must be bright.
しゅん君はかしこいにちがいない。

僕は毎日勉強して当然だ。

I should study every day.

→ Shun should be bright.
しゅん君はかしこいはずだ。

僕は毎日勉強するつもりだ。

I will study every day.

→ Shun will be bright.
しゅん君はかしこいでしょう。

僕は毎日勉強してもよい。

I may study every day.

→ Shun may be bright.
しゅん君はかしこいかもしれない。

僕は毎日勉強できるとは限らないよ

I can't study every day.

→ Shun can't be bright.
しゅん君はかしこいはずがない。

練習問題

次の（　　　　　）に適語を入れてください。

（1）池上さんはいそがしいにちがいない。
　　　Mr.Ikegami（　　　　）（　　　　） busy.
（2）池上さんはいそがしいはずです。
　　　Mr.Ikegami（　　　　）（　　　　） busy.
（3）池上さんはいそがしいでしょう。
　　　Mr.Ikegami（　　　　）（　　　　） busy.
（4）池上さんはいそがしいかもしれない。
　　　Mr.Ikegami（　　　　）（　　　　） busy.
（5）池上さんはいそがしいはずがない。
　　　Mr.Ikegami（　　　　）（　　　　） busy.

（1）must be　（2）should be　（3）will be　（4）may be　（5）can't be

4日目

前置詞

4日目では…

前置詞の法則を集中的にご紹介します。

短かい単語で一見おまけみたいに見えるけれど，種類がたくさんあって使い分けが難しい前置詞。

あなどれない存在です。

図やイラストを使ってわかりやすく説明するのでしっかりついてきてください！

32 場所をあらわす前置詞の at, on, in

at → 一地点。
on → 面している。
in → 囲まれている。

at	on	in
場所を，一地点と考える	点がたくさん集まって線になるので，平面をあらわす。「〜に面している」	もともと「中に」という意味。何かに囲まれていると考える。平面ではなく，立体。「〜に囲まれている」

場所をあらわす at, on, in は、こう使い分けます。

例 I met Tony <u>at</u> Osaka Station. 　私は大阪駅でトニー君に出会った。`一地点`

例 I bought two books <u>in</u> Osaka Station. 　私は大阪駅で2冊の本を買った。`中で`

例 I live <u>in</u> the city of Tamba-Sasayama. 　私は丹波篠山市に住んでいます。`中に`

例 I live <u>at</u> 49 Higashiokaya. 　私は東岡屋49番地に住んでいます。`一地点`

例 I live <u>on</u> Aoyama Street. 　私は青山通りに住んでいます。`平面`

例 I arrived <u>at</u> Kobe Airport yesterday. 　私はきのう神戸空港に到着した。`一地点`

> arrive の次に「広いと思うところに着くと in」，「せまいと思うところ（一地点）に着くと at」のように考えて使い分けます。

練習問題

次の（　　　　）に適当な前置詞を入れてください。

（1）私は丹波篠山市に住んでいます。

　　　I live （　　　　） the city of Tamba-Sasayama.

（2）私はデカンショ通りに住んでいます。

　　　I live （　　　　） Dekansho Street.

（3）私は青山通り10番地に住んでいます。

　　　I live （　　　　） 10 Aoyama Street.

 （1）in （2）on （3）at

1日目
2日目
3日目
4日目
5日目
6日目
7日目
8日目
9日目
10日目

33 時をあらわす前置詞の at, on, in

at → 時間を点と考える。
on → at がいっぱい集まって日をあらわす。
in → 日をあらわす on がいっぱい集まって, in となる。
　　時間をあらわす at がいっぱい集まって, in となる。

時をあらわす at, on, in は、こう使い分けます。

at six o'clock　6時に
at dinner　夕食のときに
at six in the morning　朝の6時に
at night　夜に
on a nice day　ある晴れた日に
on December (the) twentieth　12月20日に
in 1984　1984年に
in August　8月に

「夜に」の英語は at night と in the evening の2つがあります。
at night は「寝るための夜」と考えて,「アッという間に」の at と覚えてください。
それに対して, in the evening は,「時間をあらわす at がいっぱい集まって in となる」ことから,「いろいろな活動をしている間の夜」だと考えるとわかりやすいですよ。
at night より in the evening のほうが長い時間をあらわします。

次の表現も覚えておきましょう。
Good evening. は「こんばんは。」
Good night. は「おやすみなさい。」

👤 ─ 練習問題 ··

次の（　　　）に適当な前置詞を入れてください。
（1）夏に　（　　　）summer
（2）夜に　（　　　）night
（3）日曜日に　（　　　）Sunday
（4）6月9日に　（　　　）June (the) ninth
（5）1956年に　（　　　）1956〔nineteen fifty-six〕
（6）夕方に，夜に　（　　　）the evening

（1）in　（2）at　（3）on　（4）on　（5）in　（6）in

34 「上」をあらわす前置詞の on, above, over

on → 何かにくっついているときの「上に」
above → 「〜より上の方に」という意味の「上に」
over → 「〜の真上に」という意味の「上に」

on

何かにくっついているときは，いつも **on** を使うのです。上向きだけではなく，下向きであっても，とにかくどこかにくっついていると on を使います。

例 a picture on the wall　　　かべにかざってある 1 枚の絵
例 a fire alarm on the ceiling　天井の火災報知器

above

above は位置が「〜よりも上の方」にあることをあらわします。

例 That plane is flying above the clouds.
あの飛行機は雲の上を飛んでいます。

例 We can see the moon above Tokyo Tower.
東京タワーの上に月が見えますよ。

over

over は「〜の真上」にあることをあらわします。

例 A plane is flying over us.
ある飛行機が私たちの真上を飛んでいます。

 練習問題

次の（　　　）に適当な前置詞を入れてください。
（1）ある 1 匹のハエがそのかべにとまっています。
　　　A fly is（　　　）the wall.
（2）月があの山の上に出ています。
　　　The moon is out（　　　）that mountain.
（3）ある 1 羽の鳥があなたの真上を飛んでいますよ。
　　　A bird is flying（　　　）you.

「離れている上」をあらわすときに over と above のどちらも使うことができるよ。above は「上の方に」という意味で，over には，「〜をおおって」という意味もあるんだ。

put on socks over the stockings
（ストッキングの上にくつ下をはく）

42　　（1）on　（2）above（3）over

1日目
2日目
3日目
4日目
5日目
6日目
7日目
8日目
9日目
10日目

35 乗り物で使う前置詞の by, in, on

by → 交通機関。by bus（バスで）
in → 中にもぐりこんで乗る物。in my car（私の車で）
on → 〜の上に乗る物。on my bike（私の自転車で）

そもそも英語には，〔熟語タイプ〕と〔文法タイプ〕があります。

熟語タイプ	文法タイプ
決まり文句なので，a，the，my などの文法を無視して使う	文法通りなので，a，the，my などをつける必要があるときはつける
例 go to school　勉強するために学校へ行く 例 go to church　礼拝に教会へ行く	例 go to a school　ある学校へ行く 例 go to a church　ある教会へ行く

「車で」は， 熟語タイプ なので，**by** car と言えますが，「私の車で」と言うときは， 文法タイプ となり，**by** my car とすることができません。このようなときには「前置詞＋名詞」のパターンを使って，文法的に正しい英語を作らないといけないので，**in** my car となります。

同じように，「列車で」と言うときも 熟語タイプ と 文法タイプ で考えましょう。

- 列車で　　　**by** train　　 熟語タイプ
- その列車で　**on** the train　 文法タイプ

ただし、例外もあり、次のような場合は by を使うことができます。

by the 7:30 train
7時30分の電車で

練習問題

次の（　　　）に適当な前置詞を入れてください。
（1）私は車で京都へ行きます〔通っています〕。
I go to Kyoto（　　　）car.
（2）私は私の車で京都へ行きます〔通っています〕。
I go to Kyoto（　　　）my car.
（3）私は明日私の自転車で京都へ行きます。
I'll go to Kyoto（　　　）my bike〔bicycle〕tomorrow.

（1）by （2）in （3）on

36 前置詞 of の 6 つの意味

前置詞の of の 6 つの意味とは,
（1）「所有」 （2）「部分と全体」 （3）「構成要素」
（4）「ある量〔数〕の」 （5）「ある群れの」 （6）「ある入れ物の」である。

the owner
of this car

①所有
この車のその持ち主　　　the owner **of** this car
その持ち主　持っている　この車を

②部分と全体
その家の屋根　　　the roof **of** the house
部分（屋根）　の　全体（家）

the oldest
of the four boys

③構成要素
4 人の少年たちの中で 1 番年上　the oldest **of** the four boys
1 番年上　のうちの　4 人の少年

④ある量〔数〕の
たくさんのお金　　　a lot **of** money
たくさん　の量の　お金

⑤ある群れの
ある 1 つのグループの学生　a group **of** students
グループ　の　学生

my friend
私の友だち
a friend of mine
私の友だちのうちの 1 人の友だち
one of my friends
私の友だちのうちの 1 人の友だち

⑥ある入れ物の
コップ 1 杯のお茶　　　a cup **of** tea
1 杯　の　お茶

 練習問題 ....

次の（　　　）に適語を入れてください。
（1）たくさんのお金
　　（　　　　）（　　　　）（　　　　　　）money
（2）この花の（その）名前
　　the name（　　　　）this flower
（3）コップ 1 杯のお茶
　　（　　　　）（　　　　）（　　　　　　）tea

 44 （1）a lot of （2）of （3）a cup of

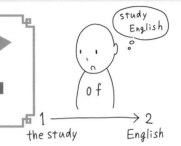

37 行ったりきたりの of

of の使い方を理解するときは，
〔左から右へ進むタイプ〕と
〔右から左へ進むタイプ〕に分けて覚えるとよい。

（1）the study **of** English　英語の研究　　　左から右 →

　　study ⇒ English （study English と理解する）

（2）the arrival **of** my son　私の息子の誕生　　← 右から左

　　arrives ⇐ my son （My son arrives と理解する）

1 ——→ 2
the study　　English

左から右 →

例 the study **of** English → study English
　　　1　　　　　　2

　　英語の研究　　　　　　英語を研究する

例 a girl **of** charm　　→　A girl has charm.
　　魅力のある少女　　　　ある少女が魅力を持っている。

読み方に注意してね！

動 arrive 〔アゥラーィヴ〕→
名 arrival 〔アゥラーィヴォー〕
形 difficult 〔ディフィカオトゥ〕→
名 difficulty 〔ディフィカオティ〕

← 右から左

例 the arrival **of** my son　→　My son arrives.
　　　2　　　1
　　私の息子の誕生　　　　私の息子は誕生する。

例 the city **of** Osaka　→　Osaka is a city.
　　大阪という市　　　　大阪は市です。

例 the difficulty **of** learning Japanese → Learning Japanese is difficult.
　　日本語を学ぶことのむずかしさ　　　　日本語を学ぶことはむずかしい。

2 ←—————— 1
the arrival　　my son

練習問題

次の（　　　）に適語を入れてください。

（1）音楽の（ある1人の）先生
　　　a（　　　　）（　　　　）music

（2）鳥を愛する人
　　　a（　　　　）（　　　　）（　　　　）

（3）丹波篠山という市
　　　the city（　　　　）Tamba-Sasayama

日本語訳の最後の名詞を
最初において
あとは適当な名詞を of の次に
置くだけだよ

（1）teacher of　（2）lover of birds　（3）of

38 about は 周辺までぐるりと届く

about は，on や of と比較することで使い方をマスターすることができる。

---

about と on を比較して覚えるとよい「〜について」

about　　～の周辺のことにもふれる「〜について」

on　　　～に限定して話す「〜について」

 a book **about** Japan　　日本についての本

　　　　日本を中心にして話を進め，その周辺についても，話題にする。

 a book **on** Japan　　　日本についての本

　　　　日本に限って話をするので，専門的な内容を話題にする。

about には，「〜について」の他に「およそ」「〜のまわりを」という意味があることから，「周辺について」という意味が出てきます。

---

about と of を比較して覚えるとよい「〜について」

about　　　～についてくわしく

of　　　　～についてうわさで

 I hear **about** you.　私はあなたのことについてはくわしく聞いています。

 I hear **of** you.　　私はあなたのことについてはうわさで聞いています。

練習問題 ....

次の（　　　　）に適語を入れてください。

（1）私は日本についてくわしく知っています。

　　　I know （　　　　） Japan.

（2）私は日本についてうわさで知っています。

　　　I know （　　　　） Japan.

（3）私はあなたについてうわさで聞いています。

　　　I hear （　　　　） you.

（4）私はいつもあなたのことを考えていますよ。

　　　I always think （　　　　） you.

think about は，〜について思いをめぐらして，積極的に何かをすること。think of は，〜のことを思う（考える）ということで，積極的に何かをするという意味ではないので注意！

（1）about（2）of　（3）of（4）of

1日目
2日目
3日目
4日目
5日目
6日目
7日目
8日目
9日目
10日目

39 セットでマスター！ with と for

「〜に関しては」，「〜にとっては」という意味で
with または for を使うことができる。

with は関連や関心をあらわし，for は関連をあらわします。

そのまま
覚えよう

[with のよく使う言いまわし例]

例 It's the same **with** me.　　　　　　　私の場合も同様です。

例 That's all right **with** me.　　　　　　私はそれでよいですよ。

例 Something is wrong **with** my camera.　私のカメラの調子が悪い。
　 ＝ Something is the matter **with** my camera.

例 What's the matter **with** you?　　　　　君，どうかしているんじゃないか。

例 What's the matter **with** tomorrow, then?　それじゃ，明日でも問題ないんだね。

例 What do you want **with** me?　　　　　私に何かご用ですか。

[for のよく使う言いまわし例]

例 That's all **for** today.　　　　　　　　今日はこれでおしまいです。
　 ＝ So much **for** today.

例 Do you want me **for** something?　　　私に何かご用ですか。

例 Tony wants you **for** something.　　　トニー君があなたに用があるそうです。

for me
私に関しては，私にとっては
with me　私に関しては
for my part　私に関しては

練習問題

次の（　　　）に適語を入れてください。
（1）私の車の調子が悪い。
　（a）Something is （　　　　）（　　　　）my car.
　（b）Something is （　　　　）（　　　　）（　　　　）my car.
（2）今日はこれでおしまいですよ。
　　　That's all （　　　　）today.

（1）（a）wrong with　（b）the matter with（2）for

40 見えるところに by を置く

「場所」の by と near,「時間」の by と till。
　by →　　　「〜のそばに」(何かが見えるところにある)
　near →　　「〜の近くに」(by よりは離れている)
　by →　　　「〜までに終わる」
　till →　　 「〜まで続く」

by と near、どちらが近いでしょうか。

📋 私は東京タワーの見えるところに
　　〔そばに〕住んでいます。

　　I live **by** Tokyo Tower.

📋 私は東京タワーの近くに住んでいます。
　　I live **near** Tokyo Tower.

⚠️ ここをまちがえる！

📋 私は丹波篠山市の近くに住んでいます。

⭕ I live **near** the city of Tamba-Sasayama.

❌ I live **by** the city of Tamba-Sasayama.

by だと
「私は丹波篠山市の見えるところ
に住んでいます。」という意味に
なってしまうね

〔時間の by と till の使い分け〕

📋 それでは，私は正午までに私の宿題を終えますよ。　期限
　　Then I'll finish my homework **by** noon.

📋 それでは，私は正午まで勉強しますよ。　ずっと
　　Then I'll study **till** noon.

👤 練習問題 ....

次の（　　　　）に適語を入れてください。
（1）それでは、私は正午までに私の仕事を終えますよ。
　　　　Then I'll finish my work（　　　　）noon.
（2）それでは、私は正午まで勉強しますよ。
　　　　Then I'll study（　　　）noon.
（3）私は篠山城の近くに住んでいます。
　　　　I live（　　　）Sasayama Castle.

「今日中に」＝
「その日（今日）の終わりまでに」
と考えて
by the end of the day
と言います。

48　　（1）by　（2）till　（3）near

5日目

接続詞

5日目まできましたね。ちょうど半分です。

長沢式英語がどういうものかつかめてきたでしょうか。

もし何回読んでもさっぱりわからないところがあったら，質問券を送ってください。

手厚いフォロー体制も長沢式英語の特徴のひとつです。

5日目では…

接続詞をみっちり解説していきますよ！

41 接着剤の接続詞（if と that）

接続詞は接着剤だ。
if は,「もし〜ならば」と「〜かどうか」, that は「〜ということ」をあらわす。
「if〔that〕＋主語＋動詞」のパターンをとる。
if と that をいっしょに勉強するとわかりやすい。

接続詞（接着剤）を使って文をつなげてみましょう。

STEP 1 くっつけたい2つの英文を並べる。

I know ＋ Is Tony a pilot?

私は知っている　トニーさんはパイロットですか。

STEP 2 うしろの英文を肯定文（ふつうの文）の並べ方にする。

I know ＋ Tony is a pilot.

私は知っている　トニーさんはパイロットです。

STEP 3 接続詞をうしろの文の前に入れる。

意味をよく考えて, if（〜かどうかということ）と that（〜ということ）のどちらかを選んで〔＋〕
のところに入れます。

I know **if** Tony is a pilot.

私は知っている　　トニーさんがパイロットかどうかということを

I know **that** Tony is a pilot.

私は知っている　　トニーさんがパイロットであるということを

 完成

例 Do you know **that** it's still snowing?
　　あなたはまだ雪が降っていると（いうことを）
　　知っていますか。

例 I wonder **if** it's still snowing.　まだ雪が降っているかな。

> I wonder ＝ I want to know
> 私は〜かしらと思う　　私は知りたい
> よく考えると, この2つの英文はどちらも同じ意味なのです。
>
> なぜなら「まだ雪が降っているかな。」というのは「私は雪がまだ降っているか知りたい。」という意味だからです。

練習問題 ....

次の（　　　）に適語を入れてください。

（1）あなたはトニー君が日本人であるということを知っていますか。
　　Do you know（　　　）Tony is Japanese?

（2）あなたはトニー君が日本人であるかどうか知っていますか。
　　Do you know（　　　）Tony is Japanese?

（3）私はまだ雪が降っているか知りたい。
　　I want to know（　　　）it's still snowing.

 　（1）that　（2）if　（3）if

1日目
2日目
3日目
4日目
5日目
6日目
7日目
8日目
9日目
10日目

42 １人２役の after と before

after（〜のあとで）と before（〜の前で）は，接続詞・前置詞の両方として使える。

接続詞→　　「after〔before〕＋主語＋動詞」
前置詞→　　「after〔before〕＋名詞（動詞の ing 形）」

例 私は夕食をとってから，（私は）勉強します。

　I study **after** I have dinner.　　接続詞

　I study **after** having dinner.　　前置詞

before を使っても上の例文と同じ意味にすることができます。

例 私は勉強する前に夕食をとります。

　I have dinner **before** I study.　　接続詞

　I have dinner **before** studying.　　前置詞

after と before が接続詞として使われるときの節「after〔before〕＋主語＋動詞」を**副詞節**と言います（おまけのはたらき）。副詞節では次のような点に注意が必要です。

（1）未来をあらわしていても，現在形にする。

例 トニー君が家に帰ってきたら出かけましょう。

　　Let's go out **after** Tony <u>comes</u> home.

（2）２つ過去があるとき，古い方の過去を「had ＋過去分詞形」であらわすが，どちらも過去形にすることも。

例 君が出発したあとで，トニー君が到着したよ。

　　Tony <u>arrived</u> **after** you <u>(had) left</u>.

⚠ ここをまちがえる！

例 私の父とそれについて，相談してしまってから電話をしますよ。

　　I'll call you **after** I <u>have talked</u> it over with my father.

　　「will have 過去分詞形」（〜してしまう）ではなく，will を消して「have ＋過去分詞形」であらわす。

練習問題 ·····································

次の（　　　　　）に適語を入れてください。

（1）私は朝食をとってから、歯をみがきます。

　　　I brush my teeth（　　　　　）I eat breakfast.

（2）私は歯をみがく前に朝食をとります。

　　　I eat breakfast（　　　　　）I brush my teeth.

（3）明日雨が降ったら、私は家にいます。

　　　I'll stay home（　　　　　）it rains tomorrow.

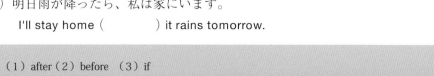

（1）after（2）before　（3）if

51

43 接続詞の when と while

接続詞の when は「〜するとき」，while は，「〜している間」をあらわす。
副詞節の when や while では，未来をあらわすときは，現在形を使う。
未来から見た過去（未来完了の意味）をあらわすときは，現在完了形を使う。

例 そこに着いたら，私に教えてね。
Tell me **when** you get there. 　未来をあらわす
　　　　　　　未来のことでも現在形

例 それじゃ私は仕事を終えてしまったら，（私は）あなたに会うよ。
Then I'll see you **when** I have finished my work. 　未来から見た過去をあらわす
　　　　　　　未来の過去（未来完了）のことでも現在完了形

進行形をふくむ文のときは，when, while, as で同じ意味になります。

例 私は仕事をしながら歌を歌う。
I sing **while** (I am) working.
I sing **as** I am working.
I sing **when** (I am) working.

while は接続詞、during は前置詞として似たような意味をあらわします。

例 私はアメリカにい〔た，る〕とき，（私は）トニー君に出会った。
While I stayed in America, I met Tony.
During my stay in America, I met Tony.

> while は接続詞だから
> 主語＋動詞が後にくる。
> during は前置詞だから
> 名詞が後にくるんだね

⚠ **ここをまちがえる！**

Tell me **when** you will get there. 　名詞節
　　　あなたがいつそこに着くか　→あなたがいつそこに着くかを私に教えてね。

Tell me **when** you get there. 　副詞節
　　　あなたがそこに着いたら　→そこに着いたら，私に教えてね。

練習問題 ‥‥‥‥‥‥‥‥‥‥‥‥‥‥

次の（　　　　）に適語を入れてください。
（1）薫（かおる）さんがいつくるのか私に教えてよ。
　　　Tell me（　　　）Kaoru（　　　　）（　　　）.
（2）薫（かおる）さんがきたら私に教えてよ。
　　　Tell me（　　　）Kaoru（　　　　）.
（3）私はアメリカにいる間に〔ときに〕、（私は）酒井直美さんに出会った。
　　　（　　　　）I stayed in America, I met Naomi Sakai.

> 「何を」という疑問が生まれたら，名詞節なので，未来のことをあらわしているときは，will を入れましょう。

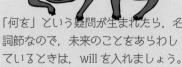

52 　（1）when, will come（2）when, comes（3）While〔When〕

1日目
2日目
3日目
4日目
5日目
6日目
7日目
8日目
9日目
10日目

44 接続詞の as, since, because, for

接続詞の as, since, because は，文頭と文の途中で使うことができる。
意味は「〜なので」。
文の途中で「, for〔because〕」がきているときは「なぜならば〜だから」と訳す。

接続詞の as, since, because は「<u>〜なので</u>」と主節を説明します。

例 雨が降ったので，私は家にいました。

As it rained, I stayed home.

Since it rained, I stayed home.

Because it rained, I stayed home.

I stayed home **as** it rained.

I stayed home **since** it rained.

I stayed home **because** it rained.

↑ ここには「，」はつけない

文の途中で「, for〔because〕」がきているときは
「<u>なぜならば〜だから</u>」と訳します。

例 私は家にいました。<u>なぜならば雨が降ったので</u>。

I stayed home, **for** it rained.

I stayed home, **because** it rained.

⚠ ここをまちがえる！

Why?（なぜ）と聞かれたときの答えとして「なぜならば」と言うときは，Because 〜 . しか使えません。

例 なぜあなたはこの本がほしいのですか。それはおもしろいからです。

✕ Why do you want this book? <u>Since</u> it's interesting.

◯ Why do you want this book? <u>Because</u> it's interesting.

話し言葉では，for や because を省略して2つの英文に分けることがあります。
I stayed home. It rained.

練習問題 ....

次の（　　　）に適語を入れてください。

（1）雪が降ったので、私は家にいました。

（a）（　　　）it snowed, I stayed home.

（b）I stayed home（　　　）it snowed.

（2）私は家にいました。なぜなら雪が降ったので。

I stayed home,（　　　）it snowed.

ただし目的をあらわしているときは、To＋動詞〜．で答えるよ。
To use it as a pillow.
まくらとして使うためです。

（1）（a）As〔Since,Because〕　（b）as〔since,because〕　（2）for〔because〕

45 会話力がグンと上がる and, but, so

and（そして），but（しかし），so（だから）をうまく使って単文をつなげることで，英語が上手に話せるようになり，相手に理解してもらいやすくなる。

次のような短文があるとします。

My girlfriend plays tennis.	私のガールフレンドはテニスをします。
I don't like playing tennis.	私はテニスをするのが好きではありません。
I don't play tennis with her.	私は彼女とはテニスをしません。

girlfriend＝「恋人」という意味

▼ and, but, so のどれかを使ってわかりやすい話にしましょう。

My girlfriend plays tennis. **But** I don't like playing tennis. **So** I don't play tennis with her.

　　私のガールフレンドはテニスをします。しかし，私はテニスをするのが好きではありません。だから，私は彼女とはテニスをしません。

We go to Okinawa.	私たちは沖縄へ行く。
We're going to play tennis there.	私たちはそこでテニスをするつもりです。
Okinawa is hot.	沖縄は暑い。

▼ and, but, so のどれかを使ってわかりやすい話にしましょう。

We go to Okinawa. **And** we're going to play tennis there. **But** Okinawa is hot.

　　私たちは沖縄へ行きます。そして，私たちはそこでテニスをするつもりです。しかし，沖縄は暑い。

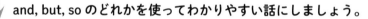

練習問題

そして，だから，しかし，and, so, but の中から適語を選んで次の（　　　）に入れてください。

（1）直美さんはテニスをします。

　　Naomi plays tennis.

　（a）（　　　　）私はテニスをするのが好きではありません。

　　　（　　　　）I don't like playing tennis.

　（b）（　　　　）私は彼女とテニスをしません。

　　　（　　　　）I don't play tennis with her.

（1）（a）しかし，But　（b）だから，So

1日目
2日目
3日目
4日目
5日目
6日目
7日目
8日目
9日目
10日目

46 接続詞 and と or の2つのパターン

接続詞の and と or は 2 つのパターンをマスターすれば使いこなせる。

パターン1 **命令文に重みを持たせる**

and（〜しなさい。そうすれば〜）

例 急ぎなさい。そうすれば，あなたは最終電車に間に合いますよ。

Hurry up, **and** you'll catch the last train.

＝ **If** you hurry up, you'll catch the last train.

＝ **Hurry**ing up, you'll catch the last train.　分詞構文

or（〜しなさい。そうしないと〜）

例 急ぎなさい。そうしないと，あなたは最終電車に乗り遅れますよ。

Hurry up, **or** you'll miss the last train.

＝ **If** you **don't** hurry up, you'll miss the last train.

＝ **Unless** you hurry up, you'll miss the last train.

＝ **Not** hurry**ing** up, you'll miss the last train.　分詞構文

そうしないと

パターン2 **肯定文で A and B　否定文で not A or B**

例 トニー君は読み書きができます。

Tony can read **and** write.　肯定文

　　読むことも書くこともできる

例 トニー君は読み書きができません。

Tony can't read **or** write.　否定文

　　読むことも書くこともできない

他の文法を使って、このように書きかえができます。ここでは他の文法にふれませんが，覚えておくとこれからの勉強が楽になります。

英語では理解をすることも大切ですが，そのまま覚えることも重要です。

練習問題 ⋯⋯⋯⋯⋯⋯⋯⋯⋯⋯⋯⋯⋯⋯⋯⋯⋯⋯⋯⋯⋯⋯⋯⋯⋯⋯⋯⋯⋯⋯⋯

次の（　　　）に適語を入れてください。

（1）急ぎなさい。そうすれば、あなたは始発バスに間に合いますよ。

　　　Hurry up, （　　　　） you'll catch the first bus.

（2）急ぎなさい。そうしないと、始発バスに乗り遅れますよ。

　　　Hurry up, （　　　　） you'll miss the first bus.

（3）私はおどることも歌うこともできません。

　　　I can't dance （　　　　） sing.

　（1）and（2）or（3）or

47 イントネーションで意味が変わる or

接続詞 or の使い方にはいろいろなタイプがあり，イントネーション（音の上げ下げ）もそれぞれ異なる。
「either A or B」と「not either A or B」はそのまま暗記する。

---

or の発音とイントネーションで意味が変わるので注意しましょう。

A（↗）or B（↘）？タイプは、2 択（A か B か）から選ばせます。

例 Do you drink, tea（↗）or〔オーア〕 coffee（↘）？
あなたはお茶を飲みますか，それともコーヒーを飲みますか。

Tea please.　お茶をお願いします。

A（↗）or B（↗）？タイプ は、2 つの選択肢を提案しますが、ほかも選べます。

例 Do you drink, tea（↗）or〔アァ〕 coffee（↗）？
あなたはお茶かコーヒー，それとも他の物でも飲みますか。

Yes, I'd like tea.　はい，お茶をいただきます。

either A or B は「A または B のどちらか」を選ばせます。

例 私は英語か日本語かのどちらかを勉強したい。
I want to study **either** English **or** Japanese.
　　　　　　英語か日本語のどちらか

not either A or B は「A も B もどちらも〜ない」をあらわします。

例 私は英語もフランス語もどちらも話せません。
（a）I ca**n't** speak **either** English **or** French.
（b）I can speak **neither** English **nor** French.
　　　　　英語もフランス語もどちらも話せない

> どちらも
> 〜ない

 練習問題

次の（　　　）に適語を入れてください。
（1）私はおどることも歌うこともどちらもできません。
　（a）I can't（　　　　）dance（　　　　）sing.
　（b）I can（　　　　）dance（　　　　）sing.

（2）あなたか私かのどちらかがまちがいです。
　（　　　　）you（　　　　）I am mistaken.

> either A or B の否定形が
> neither A nor B だよ

（1）（a）either, or（b）neither, nor　（2）Either, or

6日目

不定詞・動名詞

6日目では…
不定詞
動名詞を紹介します。
「てんびんの法則」という長沢式英語独自の法則も登場します。
不定詞と動名詞は基本のルールをしっかりマスターすれば応用がききます。それから，決まり文句も多いので，暗記するとそれだけ英語力が上がります。
楽しみながら，マスターしましょう。

48 2つ目の動詞は to 不定詞に

2つ目の動詞の前に to を置くと完全な英文になる to 不定詞。
不定詞の用法には，名詞的用法，形容詞的用法，副詞的用法がある。

何が？ という疑問が生まれたら**名詞的用法**で「〜すること」をあらわします。

例 私は泳ぐことが好きです。

I like　　　　**to** swim.

私は好きです　何が？　泳ぐこと

例 私は泳ぎたい。

I want　　　　**to** swim.

私はほしい　何が？　泳ぐこと

どんな？ という疑問が生まれたら**形容詞的用法**で直前の名詞を説明します。

例 私は読む本がほしい。

I want　　　a book　　　　**to** read.

私はほしい　何が？　本　どんな本？　読む（ための）

例 私は何か飲む物がほしい。

I want　　　something　　　　**to** drink.

私はほしい　何が？　何か　どんなもの？　飲む（ための）

何か飲む物
= something to drink
何か冷たい物
= something cold

なぜ？ という疑問が生まれたら**副詞的用法**で理由や目的などをあらわします。

例 私はあなたに会えてうれしいですよ。

I am happy　　　**to** see you.

私はうれしいですよ　なぜ？　あなたに会えて

例 私はあなたに会うためにここへきました。

I came　　　here　　　　**to** see you.

私はきました　どこに？　ここに　何の目的で？　あなたに会うために

練習問題 ……………………………………………………………

次の（　　　）に適語を入れてください。

（1）私は直美さんとテニスをしたい。

I（　　　　）（　　　　）play tennis with Naomi.

（2）私は池上さんに会うために松本へ行った。

I went to Matsumoto（　　　　）（　　　　）Mr.Ikegami.

（3）丹波篠山は見るべきところがたくさんありますよ。

Tamba-Sasayama has a lot of places（　　　　）（　　　　）.

（1）want to　（2）to see〔meet〕　（3）to see

1日目
2日目
3日目
4日目
5日目
6日目
7日目
8日目
9日目
10日目

49 名詞的なはたらきをする「疑問詞 + to 不定詞」

「疑問詞 + to 不定詞」で名詞的なはたらきをする。
（例）how to study（勉強する方法　勉強の仕方）

> **how to** study（勉強する方法，勉強の仕方）
> **疑問詞 + to 不定詞**

この英文の成り立ちを考えてみましょう。

to study　＝勉強すること
how　　　＝どういうふうにして

→ どういうふうにして勉強するのかということ
＝
勉強する方法　または　勉強の仕方

「**疑問詞 + to 不定詞**」で名詞的なはたらきをします。

what to read	何を読むべきか〔ということ〕
when to read	いつ読むべきか〔ということ〕
where to read	どこで読むべきか〔ということ〕
whether to read this book or not	この本を読んでもよいのかどうか〔ということ〕
which room **to** read this book in	どの部屋でこの本を読むべきか〔ということ〕

⚠ **ここをまちがえる！**

「どこで」は副詞で「どちら」は名詞です。
したがって**副詞**＝（代）名詞＋前置詞＝**前置詞**＋**名詞**

例 Do you know **where** to get off?　　あなたはどこで降りるのですか。
　　　　　　　　副詞

＝ Do you know **which** to get off **at**?　　あなたはどちらで降りるのですか。
　　　　　　　（代）名詞　　　前置詞

 練習問題 ....

次の（　　　　）に適語を入れてください。

（1）英語を習得する方法を教えてよ。

　　Tell me （　　　　）（　　　　）learn English.

（2）私はどこに降りたらよいのかわからないのです。

　　I don't know （　　　　）（　　　　）get off.

（3）私は薫さんにいつ電話をしたらよいのかわからないんですよ。

　　I don't know （　　　　）（　　　　）call Kaoru.

 （1）how to　（2）where to　（3）when to

50 英語の「てんびん」の法則

「It ＋ be 動詞＋形容詞 ＋ to ＋動詞の原形.」のパターンは，
「To ＋動詞の原形」から始まる英文で書きかえることができる。

「泳ぐことはかんたんです。」を英語にしてみましょう。
「泳ぐ」という動詞を名詞（泳ぐこと）にするには，動詞の前に to を置くだけでよいのです。

  To swim is easy.
  泳ぐこと

英語では，is の左と右を比べると，右の方にたくさんの単語がくる方が自然という考え
方があります。したがって，To swim を It にして 1 単語にします。

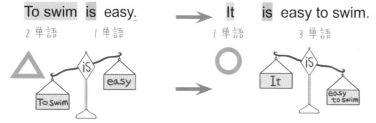

⚠ ━ ここをまちがえる！

❌ This river is dangerous to swim.　　この川は泳ぐのに危険ですよ。

この文はまちがえています。なぜでしょう？
「to ＋動詞の原形」から始まる文に書きかえられるかためしてみると，わかります。

❌ To swim this river is dangerous.

「泳ぐこと どこで? 」という疑問が生まれるのに，this river（この川）では答えになって
いません。in this river（この川で）にしなければなりませんね。正しい文はこうなります。

⭕ This river is dangerous to swim in.
⭕ It is dangerous to swim in this river.

📖 ━ 練 習 問 題 ━ ....

次の（　　　　）に適語を入れてください。

（1）日本語は学んで習得するのがむずかしい。

　　　Japanese is （　　　　）（　　　　）（　　　　）.

（2）この辞典は使いやすい。

　　　This dictionary is （　　　）（　　　）（　　　）.

（3）この池で泳ぐのは危険ですよ。

　　　This pond is （　　　）（　　　）（　　　）（　　　）.

（1）hard〔difficult〕to learn（2）easy to use（3）dangerous to swim in

1日目
2日目
3日目
4日目
6日目
7日目
8日目
9日目

51 It is 構文の書きかえ

It is 構文のときの for you to play the piano は「あなたがピアノをひくこと」。
「You are 形容詞.」として意味が成り立ち,「あなたの性質、性格」をあらわすときは,
「It's 形容詞 of you to ～.」になる。

It is ●●（形容詞）to ～～（動詞）で、「～～することは●●だ。」とあらわせます。

例 ピアノをひくことはかんたんです。

To play the piano is easy.

しかし，これだけでは〈だれが〉ピアノをひくのかわかりません。
もし，〈あなたが〉ピアノをひくと言いたいのならば，
for you〈あなたにとって〉を足せばよいのです。

For you to play the piano is easy.

is の左に単語が多いので不自然

is の左側の単語の数を減らすために，it に置きかえましょう。

It's easy for you to play the piano.

あなたがピアノをひくことはかんたんです。

⚠ ここをまちがえる！

It is 構文では、**for ではなく，of** がくる場合もあります。

例 私を手伝ってくれるとは，あなたは親切だね。

It's nice **of** you to help me.

この場合，for ではなく of を使います。of の意味は「（性質などを）持っている」と考えてください。あなたが持っている性格が親切だと言っているわけです。
この英文は，次のように言いかえることができます。

For you to play the Piano
is easy.

You are nice   to help me.
あなたは親切ですね   どういう根拠ですか   私を手伝ってくれるとは

 練習問題 ....

次の（　　　　）に適語を入れてください。

（1）あなたは私の仕事を手伝ってくれるとは親切だね。

（a）It's nice（　　　）you（　　　）help (me) with my work.

（b）You're nice（　　　）help (me) with my work.

（2）私にとって泳ぐことはとてもむずかしい。

It's very hard（　　　）（　　　）（　　　）swim.

形容詞によっては of と for のどちらでも使うことができます。
〔例〕
foolish　　おろかな
wise　　　賢明な、賢い
right　　　正しい
wrong　　悪い
It is foolish of you to do it.
そんなことするなんて,あなたはおろかだ。
It is foolish for you to do it.
あなたがそれをするのはおろかなことだ。

 （1）（a）of, to　（b）to　（2）for me to

52 形容詞的用法の to 不定詞

to 不定詞の形容詞的用法では，文の最後に前置詞がくることがあるので，注意が必要。

前置詞がこないパターン
read a book（本を読む）→ a book to read（読むための本）
名詞を説明＝形容詞のはたらき

前置詞がくるパターン
live in a house（ある家に住む）→ a house to live in（住むための家）

前置詞がいるかいらないかは，次のように考えましょう。

例 「私は住む（ための）家がほしい」

STEP 1 2つの日本文に分けて，それを英語にします。

私は家がほしい。 　　私はその家に住む。
I want a house. 　　I live in the house.

STEP 2 ほとんど同じ意味をあらわしているところに下線をひきます。

I want a house. 　　I live in the house.

STEP 3 I が2つあるので，2つ目の I を to に変え，a house とほとんど同じ意味をあらわしている
2つ目の the house を消します。

I want a house. 　　to live in the house.

すると，次のような英文ができあがるので、in が必要であることがわかります。

I want a house to live in.

練習問題 ....

次の（　　　）に適語を入れてください。

（1）私は何か飲むものがほしい。

I want（　　　）（　　　）（　　　）.

（2）私はテニスをいっしょにする友だちが3人います。

I have three friends（　　　）（　　　）tennis（　　　）.

（3）私は住むための家を3軒持っています。

I have three houses（　　　）（　　　）（　　　）.

（1）something to drink （2）to play , with （3）to live in

1日目
2日目
3日目
4日目
5日目
6日目
7日目
8日目
9日目
10日目

53 「be to 不定詞」は唱えて暗記

「【命令】されず，自分の【意志】で勉強すると，すべてが【可能】になり，
【運命】が開ける【予定】です」で覚える「be to 不定詞」。
(1) 命令 (2) 意志 (3) 可能 (4) 運命 (5) 予定

「be to 不定詞」は，大きく分けて 5 つのパターンがあります。そのまま覚えましょう。

例 あなたはここで遊んではいけません。

You aren't to play here. 　①命令

例 もしあなたが成功したいなら，もっと一生けん命働くべきですよ。

If you are to succeed, you should work harder. 　②意志

例 今夜は星が見られますよ。

Stars are to be seen tonight. 　③可能

例 私は二度と佐知子さんには会えない運命だった。

I was never to see Sachiko again. 　④運命

例 私たちのパーティーは今夜開かれる予定です。

Our party is to be held tonight. 　⑤予定

⚠ ここをまちがえる！

「be to 不定詞」とまちがえやすいのは，ただ単に「be to 動詞の原形」になっていると
きです。

例 私の夢は英語の先生になることです。

My dream is to be an English teacher.

例 あなたは毎日勉強しさえすればよい。

All you have to do is (to) study every day.

～は，.....することです。
となっているときは、文法的に
to+ 動詞で「～すること」を
あらわしているので、
is to+ 動詞になる
んだよ

練習問題 ··

次の（　　）に適語を入れてください。
（1）私たちは正午に会うことになっています。

　　We（　　　　）（　　　　）meet at noon.

（2）あなたはこの部屋を出て行ってはいけません。

　　You（　　　　）（　　　　）leave this room.

（3）ここから東京タワーが見えますよ〔見られますよ〕。

　　Tokyo Tower（　　　）（　　　）（　　　）（　　　　）from here.

（1）are to　（2）aren't to（3）is to be seen

54 「2つ目 to」の法則

「彼に頼む」は ask him，「彼に言う」は tell him。
その次に動詞がくるときは，2つ目の動詞の前に to を置く。

2つ目の動詞の前に to
を置く

例 私はあなたに勉強してもらいたい。
　I want you **to** study.

例 私はあなたに勉強をしていただきたい。
　I'd like you **to** study.

例 私は私たちの息子に勉強するように言った。
　I told our son **to** study.

例 私は私たちの息子に勉強するように頼んだ。
　I asked our son **to** study.

例 私は私たちの息子に勉強するように説得した。
　（a）I persuaded our son **to** study.
　（b）I got our son **to** study.

例 私は私たちの息子に勉強するように忠告した。
　I advised our son **to** study.

例 私は私たちの息子に無理やり勉強させるつもりはない。
　I won't force our son **to** study.

例 私は私たちの息子に（勉強したいと言うなら）勉強させてやるよ。
　（a）I'll allow our son **to** study.
　（b）I'll permit our son **to** study.

例 私はときどき私たちの息子の宿題を手伝ってやる。
　I sometimes help our son（**to**）do his homework.

練習問題

次の（　　　）に適語を入れてください。
（1）私は私の息子にもっと一生けん命勉強するように言った。
　　I（　　　）my son（　　　）（　　　）harder.
（2）私は直美さんにあと5分待ってくれるように頼んだ。
　　I（　　　）Naomi（　　　）（　　　）for five more minutes〔minutes more〕.
（3）私はあなたに私の仕事を手伝ってほしい。
　　I（　　　）you（　　　）help(me) with my work.

（1）told, to study（2）asked, to wait（3）want, to

55 to 不定詞の決まり文句

to 不定詞の決まり文句には，次の 3 つのパターンがある。
（1）To ＋動詞の原形，〜
（2）〜，英単語＋ to ＋動詞の原形
（3）英単語＋ to ＋動詞の原形

to＋動詞の決まり文句は、文末や文頭によく置かれます。
「To ＋動詞の原形 , 〜」の〜の部分には完全な文がきて副詞的に使われます。

To tell the truth, ~	実を言うと
To make matters worse, ~	さらに悪いことには
To say the least（**of it**）**, ~**	ひかえめに言って
To begin〔**start**〕**with, ~**	まず第一に
To be sure, ~	たしかに
To be frank with you, ~	率直に言って
To make a long story short, ~	かいつまんで言うと

「〜，英単語＋ to ＋動詞の原形」のパターンでも〜の部分には完全な文がきます。

例 Tony studied hard, **only to fail**.
　トニー君は一生けん命勉強したが，<u>あいにく落ちてしまった</u>。

例 Sachiko went to France, **never to return**.
　佐知子さんはフランスに行って，<u>二度と帰ってこなかった</u>。

〔英単語＋ to ＋動詞の原形〕

Needless to say, 　言うまでもなく
Strange to say, 　不思議なことに
Tony is, **so to speak**〔**say**〕**,** a walking dictionary. 　トニー君は<u>言わば</u>，生き字引きですよ。

練習問題 ....

次の（　　　）に適語を入れてください。
（1）悟朗さんはアメリカへ行って二度と帰ってこなかった。
　　Goro went to America,（　　　）（　　　）（　　　）.
（2）実を言うと、私はネコが好きなんですよ。
　　（　　　）（　　　）the truth, I like cats.
（3）まず第一に、あなたは英語を勉強しないといけませんよ。
　　（　　　）（　　　）（　　　）, you have to study English.

（1）never to return（2）To tell（3）To begin〔start〕with

56 使役動詞と知覚動詞

「主語＋動詞 ＋目的語＋動詞の原形（原形不定詞）.」には
〔させるタイプ〕〔助けるタイプ〕
〔目で見たり，耳で聞いたり，身体で感じるタイプ〕の３つのタイプがある。

第５文型の１つに、目的語のうしろに動詞の原形を置くものがあります。

私はあおいさんがおどるのを見た。　I saw Aoi dance.
　　　　　　　　　　　　　　　　主語　動詞　目的語　動詞の原形

私はあおいさんが歌うのを聞いた。　I heard Aoi sing.

私はトニー君に無理やり遊ばせた。　I made Tony play.

させるタイプ＝使役動詞	助けるタイプ	目や耳、体で感じる＝知覚動詞
make（無理やりさせる）	**help**（助ける）	**see**（見る，見える）
let（許可してさせる）		**hear**（聞く，聞こえる）
have（させる）		**watch**（注意して見る，じっと見る）
		feel（感じる）
		look at（注意して見る，じっと見る）

⚠️ **ここをまちがえる！**

A さんの娘さんの洋子さんにボーイフレンドから電話がかかってきて、A さんが次のように言ったとします。

「洋子がいやがっても無理にでもあなたに電話をかけさせます。」

　I'll make Yoko call you.

「洋子がかけたいと言ったら，あなたに電話をかけさせますよ。」

　I'll let Yoko call you.

「洋子に電話をかけさせます。」（日本語と同じような意味）

　I'll have Yoko call you.

「させる」強制の
強さがちがうね

練習問題

次の（　　　）に適語を入れてください。

（１）私は私の息子が英語を勉強したいと言ったので、英語を勉強させた。

　　I（　　　）my son（　　　）English.

（２）私には紗和子さんが出て行くのが聞こえた。

　　I（　　　）Sawako（　　　）out.

（３）私には紗和子さんが出て行くのが見えた。

　　I（　　　）Sawako（　　　）out.

（１）let, study　（２）heard, go　（３）saw, go

1日目
2日目
3日目
4日目
5日目
6日目
7日目
8日目
9日目
10日目

57 動名詞は名詞のはたらき

動名詞とは，もともと動詞であったものが，ing をつけて名詞のはたらきをするようになったもの。
動名詞の使い方には 3 つのパターンがある。

動名詞は、動詞に ing をつけて名詞のはたらきをします。

〔2 つ目の動詞に ing をつけるパターン〕

例 私は泳ぐことが好きです。

I <u>like</u> <u>swimming</u>.
  1つ目   2つ目

例 私の趣味は泳ぐことです。

My hobby <u>is</u> <u>swimming</u>.
      1つ目   2つ目

〔1 つ目の動詞に ing + be 動詞のパターン〕

例 泳ぐことは私の趣味です。

<u>Swimming is</u> my hobby.
  1つ目   be 動詞

〔前置詞の次に動詞の ing 形をとるパターン〕

例 私は泳ぐのが得意です。

I am good at <u>swimming</u>.
        前置詞   ing 形

例 私は泳ぐのがこわい。

I am afraid of <u>swimming</u>.
         前置詞   ing 形

> swimming と to swim はいつでも使えるというわけではなく、動詞によっては to swim と相性がよい動詞と、swimming と相性がよい動詞があります。
>
> like は swimming と to swim のどちらでもよい動詞です。

練習問題 ....

次の（　　　　）に適語を入れてください。

（1）紗和子さんは、かるたをするのが得意です。

　　Sawako is good at （　　　　）karuta.

（2）私は走るのが好きです。

　　I like （　　　　）.

（3）私の趣味はコインを集めることです。

　　My hobby is （　　　　）coins.

58 「すでにしている」ing と「これから」の to

後にくる動詞が ing をとる動詞　→すでにしていること。
後にくる動詞が to をとる動詞　　→これからすること。
後にくる動詞が to と ing 両方をとる動詞もある。

ing をとる動詞は「すでに〜していることを〜する」

例 泳ぐのをやめましょう。　→泳いでいて，それをやめる
Let's **stop** swimming.

例 泳ぐのを終えましょう。　→泳いでいて，それを終える
Let's **finish** swimming.

例 泳ぐのを楽しみましょう。→泳いでいるのを楽しむ
Let's **enjoy** swimming.

to をとる動詞は「これからすることを〜する」

例 私は泳ぎたい。　　　　　→これから泳ぎたい
I **want** to swim.

例 私は泳ぐつもりです。　　→これから泳ぐつもり
I **intend** to swim.

例 私は東京へ行くと決めた。→これから東京へ行く
I **decided** to go to Tokyo.

to と ing のどちらもとる動詞
like （〜が好きです）
begin （〜を始める）
start （〜を始める）
continue （〜を続ける）

to と ing のどちらもとるが,意味がちがう動詞
forget to （〜するのを忘れている）
forget 〜 ing （〜したことを忘れている）
remember to （〜することを覚えている）
remember 〜 ing （〜したのを覚えている）
try to （〜しようと努力する）
try 〜 ing （ためしに〜する）

⚠ **ここをまちがえる！**

I **stopped** to smoke.　　私はたばこをすうために立ち止まった。
　　　これからすること

I **stopped** smoking.　　私はたばこをすうのをやめた。
　　　すでにしていること

1日目
2日目
3日目
4日目
5日目
6日目
7日目
8日目
9日目
10日目

59 動名詞の前に my などを入れる

動名詞（〜 ing 形）の前に my または me を入れることで，主語をあらわすことができる。
正式には my で，会話では me も使われる。

例 ①窓を開けていただけませんか。

　　Would you **mind** opening the window?

opening の前に **your** が省略されていると考えてください。意味は次のようになります。

〔×〕Would you **mind**　　　　　your opening the window?

　　あなたは気にされますか（何を？）あなたが窓を開けることを

前の主語（you）と opening の主語（your）が同じ場合には，あとにくる主語は不要とされるので your は入れませんが，前とあとの主語がちがう場合には，入れる必要があります。

例 ②私が窓を開けてもかまいませんか。

　　Would you **mind**（何を？）my opening the window?

　　あなたは気にしますか　　　　私が窓を開けることを

①②は次のようにも言えます。

　① Would you open the window?

　② May I open the window?

> 「気にしないでね。」は "Don't mind."
> ではなく "Never mind."。
>
> o Don't mind.
> Never mind.

⚠ ここをまちがえる！

mind で聞かれたときの返答は，**嫌なとき→ Yes.／よいとき→ No.** と言ってください。
No. の場合は，次のような意味をあらわします。

I don't mind opening the window.　　　　　私は私が窓を開けることを気にしませんよ。

I don't mind your〔you〕opening the window. 私はあなたが窓を開けることを気にしませんよ。

🔊 練習問題 ....

次の（　　　）に適語を入れてください。

（1）戸を開けていただけませんか。

　　Would you（　　　）（　　　　）the door?

（2）戸を開けてもよろしいですか。

　（a）Would you（　　　）（　　　）（　　　　）the door?

　（b）（　　　　）I open the door?

（3）私はあなたが戸を開けても気にしませんよ。

　　I don't（　　　）（　　　　）（　　　　）the door.

（1）mind opening　（2）（a）mind my opening　（b）May　（3）mind your opening

60 動名詞だけをとる動詞の覚え方

動名詞だけをとる動詞は，次のように覚えるとよい。

hip deca 〔ヒップデカ〕
megafeps 〔メガフェップス〕

hip deca 〔ヒップデカ〕	
help〔ヘォプ〕	～するのをさける
imagine〔イメァヂィンヌ〕	～することを想像する
practice〔プゥレァクティス〕	～する練習をする
deny〔ディナーィ〕	～しないという
escape〔イスケーィプ〕	～するのをのがれる
consider〔カンスィダァ〕	～することを考える
admit〔アドゥミットゥ〕	～するのを認める

〔例〕 私は笑わざるをえない。
＝おかしくてたまらない。
I can't help laughing.

メガ（大きい）フェップス

megafeps 〔メガフェップス〕	
mind〔マーィンドゥ〕	～するのを気にする
miss〔ミス〕	～しそこなう
enjoy〔インヂョーィ〕	～して楽しむ
give up〔ギヴァップ〕	～するのをやめる
avoid〔アヴォーィドゥ〕	～するのをさける
finish〔フィニッシ〕	～するのを終える
evade〔イヴェーィドゥ〕	～するのをさける
postpone〔ポーゥストゥポーゥンヌ〕	～をするのを延期する
stop〔スタップ〕	～するのをやめる

〔例〕 こんなところであなたに出会うとは想像できませんでしたよ！
Imagine meeting you here!

 練習問題

次の（　　　）に適語を入れてください。

（1）私は声をあげて泣かずにはいられなかった。

　　I couldn't（　　　　）（　　　　）.

（2）たばこをすうのをやめなさい。

　（a）（　　　　）（　　　　）.

　（b）（　　　　）（　　　　）（　　　　）.

（3）ダンスを楽しみましょう。

　　Let's（　　　　）（　　　　）.

Imagine ～ ing で使う決まり文句だよ

（1）help crying （2）（a）Stop smoking　（b）Give up smoking　（3）enjoy dancing

61 動名詞を使った決まり文句

1日目
2日目
3日目
4日目
5日目
6日目
7日目
8日目
9日目
10日目

動名詞をふくむ決まり文句には，「to 〜 ing 」が多い。
この場合の to は前置詞なので，to の後ろには動名詞がくる。

例 私はあなたに会えるのを楽しみにしています。〔はじめての人に〕
　　I'm **looking forward to** meet**ing** you.

例 私は歩くのに慣れています。
　　I'm **used to** walk**ing**.
　　I'm **accustomed to** walk**ing**.

例 テニスをするということになると，
　　When it comes to play**ing** tennis,

例 ショッピングに行くのはどうですか。
　　What do you say to go**ing** shopping?
　　How about go**ing** shopping?

例 私はあなたがトニー君と結婚するのには反対です。
　　I **object to** your〔you〕marry**ing** Tony.

例 私たちの両親は私がトニー君と結婚するのに反対しています。
　　Our parents are **opposed to** my〔me〕marry**ing** Tony.

look foward to〜

はじめて会う人には
meet,
2 回目以降は see を
使うことが多いよ

used to
〔ユース・トゥ〕
accustomed to
〔アカスタム・トゥ〕
comes to
〔カムストゥ〕
opposed to
〔オボーゥストゥ〕
to がきているときは
上のように発音してね

🐻 練習問題 ‥‥‥‥‥‥‥‥‥‥‥‥‥‥‥‥‥‥

次の（　　　　）に適語を入れてください。
（1）私は泳ぐのに慣れています。
　　　I am（　　　　）（　　　　）（　　　　）.
（2）スケートに行くのはどうですか。
　　（a）（　　　　）（　　　　）（　　　　）skating?
　　（b）（　　　　）do you（　　　　）（　　　　）（　　　　）skating?
（3）私はまたあなたのお母さんにお会いできるのを楽しみにしています。
　　　I'm（　　　　）（　　　　）（　　　　）（　　　　）your mother again.

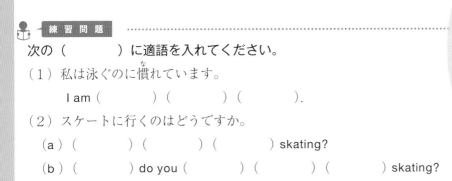
（1）used [accustomed] to swimming　（2）(a) How about going　(b) What, say to going
（3）looking forward to seeing

形容詞＋（in）〜ing を使った決まり文句

「形容詞＋（in）〜ing」など，動名詞を使った決まり文句は多い。

〔in 〜 ing（〜しているとき・〜するのに）のパターン〕

例 あなたがそう言うのはもっともです。
You are **right in** saying so.
そう言っているときは正しい

right in
saying

例 あなたはくるのがおそいね。
You are **late**（**in**）coming. 〔会話では in を省略〕

例 篠山城は訪れる価値があります。
Sasayama Castle is **worth** visiting.

例 私は勉強するのにいそがしい。
I am **busy**（**in**）studying. 〔in はふつう省略〕

例 道路を渡るときには注意をしなさいよ。
You must be careful **in** crossing the street.
You must be careful **when**（you are）crossing the street.

〔while 〜 ing（〜しながら）をあらわすパターン〕

例 私はラジオを聞きながら勉強します。
I study **while**（I am）listening to the radio.

〔on 〜 ing（〜するとすぐに）をあらわすパターン〕

例 私を見るとすぐに，あなたは逃げた。
On seeing me, you ran away.

on 〜 ing ＝ as soon as＋主語＋動詞
私を見ると、すぐにあなたは逃げた。
As soon as you saw me, you ran away.

練習問題

次の（　　　　）に適語を入れてください。
（1）丹波篠山は訪れる価値がありますよ。

Tamba-Sasayama（　　　　）（　　　　）（　　　　）.

（2）私は仕事をするのにいそがしい。

I（　　　　）（　　　　）（　　　　）.

（3）あなたがそう言うのももっともです。

You are（　　　　）（　　　　）（　　　　）so.

（1）is worth visiting（2）am busy working（3）right in saying

7日目

There is 構文 といろいろな 疑問文

あっという間に7日目，終盤に突入です。

7日目では…

There is〔are〕構文

否定疑問文

付加疑問文

間接疑問文などを紹介します。

難しそうって？　確かに名前からしてとっつきにくいかもしれませんが，長沢式英語では，学校の先生の説明とはことなる独自の言い回しでわかりやすく説明します。

ひとつひとつマスターしましょう。

63 There is 〔are〕構文は はっきりしないものに

There is ～で「～がある」ことをあらわす。
主語が 1 つだと is, 主語が 2 つ以上だと are。
is と are には「いる」という意味があり，There には何も意味はない。

だれのものかどのものかがはっきりしないものが主語になっていて，is, are が主語の次にくるものは，There is〔are〕～. で言いかえることができます。

例 1 ぴきのイヌが私の部屋にいる。
 A dog is in my room.

 だれのものかはっきりしないイヌが 1 ぴきなので There is ～に書きかえ

 = **There is** a dog in my room.

例 2 ひきのイヌが私たちの家にいる。
 Two dogs are in our house.

 だれのものかはっきりしないイヌが 2 ひきなので There are ～に書きかえ

 = **There are** two dogs in our house.

⚠ ここをまちがえる！

はっきりしているものや人が主語になる場合には，**There is** 構文で書きかえることはできません。

例 My dog is in my room.　　　私のイヌは私の部屋にいます。
　 私のイヌ　　→はっきりしてる！！

例 Tokyo Tower is in Tokyo.　　東京タワーは東京にあります。
　　東京タワー　　→はっきりしてる！！

📖 練習問題 ....

次の（　　　　）に適語を入れてください。
（1）京都タワーは京都にあります。

　　　Kyoto Tower（　　　　）（　　　　）Kyoto.

（2）たくさんのネコが私の部屋にいます。

　（a）（　　　　）cats（　　　　）in my room.

　（b）（　　　　）（　　　　）（　　　　）cats in my room.

（3）私のネコはこの箱の中にいます。

　　　My cat（　　　　）（　　　　）this box.

74　　（1）is in　（2）(a) Many, are　(b) There are many　（3）is in

64 A has B. と言うとき「A は大で B は小」

「A に B がある。」と言いたいとき, A has B. または There is〔are〕B in A. であらわす。
A has B. の A と B をくらべると，A は大で B は小。
つまり,「大きい物が小さい物を持っている。」と訳せる。

・A **has** B.
大 > 小

・**There is** B **in** A.
小 < 大

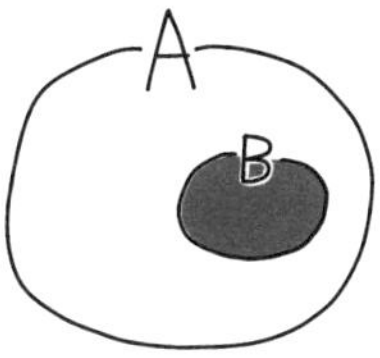

例 私の部屋には，2 つの窓があります。
大　小　なので

My room **has** two windows. = **There are** two windows **in** my room.
大(A)　小(B)　小(B)　大(A)

I have dark eyes.
(私は黒い目をしています。)
このように，はじめから最後までずっとついているものの場合には，There are dark eyes in me. のように言いかえることはできません。
There are two books on the table. も The table has two books. のように言いかえることはできません。そのテーブルには，2 冊の本が今あるだけで，ずっとあるわけではないからです。

次の下線部を問う文を作ってみましょう。

例 Your room has two windows.
Does your room have two windows?

（答え）How many windows does your room have?

例 There are two windows in your room.
Are there two windows in your room?

（答え）How many windows are there in your room?

練習問題

次の（　　　）に適語を入れてください。

（1）4 月は 30 日あります。

（a）April（　　　）thirty days.

（b）（　　　）（　　　）thirty days（　　　）April.

（2）私たちのクラスには学生が 30 人います。

（a）Our class（　　　）thirty students.

（b）（　　　）（　　　）thirty students（　　　）our class.

A （1）（a）has（b）There are, in （2）（a）has（b）There are, in

65 「ほら」「そこに」の There

There を強く読むと，「ほら」「そこに」といった意味になることがある。
There is〔are〕構文では，the や my や Tokyo Tower のような意味をはっきりさせるための言葉を使うことはできないが，「ほら」「そこに」の意味の場合は，使うことができる。

例 **There** is my car.　　　ほら，私の車がそこにあるよ。
　　強く読む

例 **There** is the bell.　　　ほら，ベルがなっているよ。
　　強く読む

例 There is a car **there**.　　そこに，車があるよ。
　　弱く読む　　　　　強く読む

例 **There** is Tokyo Tower.　　ほら，東京タワーだよ。
　　強く読む

例 Get off the bus. Then walk in the same direction the bus is headed.
　Turn right at the second street, <u>and **there**'s my house.</u>
　バスを降りて。それから，バスの進行方向と同じ方向に歩いて。
　2つ目の通りを右に曲がってね。<u>そうしたらそこが私の家だよ。</u>

命令文（,）and ＝
〜しなさい　そうしたら
〜ですよ。

⚠ ここをまちがえる！

There is〔are〕構文で**命令文**をあらわすこともできます。

例 **There** is the door!　　　そこに戸があるだろ！→出て行け！
　　強く読む

この英文は，「ほら，そこに戸があるだろ！」という意味から，
「出て行け！」という命令の意味をあらわしています。

🐵 ［練習問題］ ‥‥‥‥‥‥‥‥‥‥‥‥‥‥‥‥‥‥‥‥

次の（　　　）に適語を入れてください。
（1）ほら、そこに戸がありますよ。〔出て行きなさい。〕
　　　（　　　）is the door!
（2）ほら、そこに私の車がありますよ。
　　　（　　　）is my car.
（3）ほら、富士山ですよ。
　　　（　　　）is Mt.Fuji.

強く読んでほしい
ときは，大文字で書くと
相手によく伝わるよ

（1）There〔THERE〕　（2）There〔THERE〕　（3）There〔THERE〕

1日目
2日目
3日目
4日目
5日目
6日目
7日目
8日目
9日目
10日目

66 There is〔are〕構文の言いかえ

There is〔are〕構文は，is, are の代わりに一般動詞を使うこともできる。
「There ＋一般動詞」のかたちになる。
このとき，There には意味がないので訳さなくてよい。

There is 構文で, is, are の代わりに「There ＋一般動詞」のかたちになるものがあります。

例 A boy lived in Tamba-Sasayama.　　　ある少年が丹波篠山に住んでいました。
　= **There** lived　　　　a boy　　　　　in Tamba-sasayama.　一般動詞タイプ
　　　住んでいました だれが？ ある少年が どこに？　丹波篠山に

例 A boy came into my room.　　　ある少年が私の部屋に入ってきました。
　= **There** came　　　　a boy　　　　into my room.　一般動詞タイプ
　　　きました だれが？ ある少年が どこに？　私の部屋の中に

例 A boy　is running　over there.
　ある少年　走っている　あそこで

　= There is a boy running over there.　be 動詞タイプ

例 A little milk　is left　in my glass.
　少しのミルク　残されている　私のグラスに

　= There is a little milk left in my glass.　be 動詞タイプ

例 Nothing is wrong　with this TV.
　何も故障していない　このテレビに関しては

　= There is nothing wrong with this TV.　be 動詞タイプ

> どこかがこのテレビは故障しています。
> Something is wrong〔the matter〕with this TV.
> どこかがこのテレビは故障していますか。
> Is anything wrong〔the matter〕with this TV?
> このテレビはどこも故障していません。
> Nothing is wrong〔the matter〕with this TV.

🧸 練習問題 ・・・

次の（　　　）に適語を入れてください。
（1）あるとても背が高い少年が丹波篠山に住んでいました。
　　（　　　）（　　　　　）a very tall boy（　　　　　）Tamba-Sasayama.
（2）ある音楽の先生が私たちの教室に入ってきました。
　　（　　　）（　　　　　）a music teacher（　　　　）our classroom.
（3）あそこである少年が泳いでいます。
　　（　　　）is a boy（　　　　）over there.

（1）There lived, in （2）There came, into （3）There, swimming

67 間接疑問文の３つのパターン①

間接疑問文とは，ぱっと見たら，疑問文ではなく，肯定文のように見える。
しかし，内容が間接的に疑問文になっている。
間接疑問文には３つのパターンがある。

〔３つのパターン〕
パターン1	主語＋動詞＋ if ＋主語＋動詞～.
パターン2	主語＋動詞＋疑問詞＋主語＋動詞～.
パターン3	主語＋動詞＋疑問詞＋動詞～.

～かどうかということ

I know if Shintaro is an animal doctor.

パターン1 は「Yes, No」で答える疑問を文の中にふくんでいます。

STEP 1 くっつけたい２つの英文を並べる。

I know ＋ Is Shintaro an animal doctor?
　　　　　　　疑問文

STEP 2 うしろの疑問文を肯定文にする。

I know ＋ Shintaro is an animal doctor.
　　　　　　　疑問文を肯定文に！

STEP 3 うしろの疑問文の前に if を入れる。

私は慎太郎君が獣医かどうかということを知っています。

I know if Shintaro is an animal doctor.
　　　　　if ＋主語＋動詞
　　　　　～かどうかということ

> I know ＋ Aoi is a doctor.
> 私は知っています　あおいさんは医者です
> → I know that Aoi is a doctor.
> 　　私はあおいさんが医者であるということ
> 　　を知っています。

 練習問題

次の（　　　）に適語を入れてください。

（1）私はまだ雨が降っているのか知りたい。

　　I（　　　）（　　　）know（　　　）it's still raining.

（2）あなたは佐知子さんが結婚しているのか（どうかということを）知っていますか。

　　Do you know（　　　）Sachiko is married?

（3）安紀子さんに彼女が私のことを好きかどうかたずねてください。

　　Please（　　　）Akiko（　　　）she likes me.

  （1）want to, if （2）if （3）ask, if

68 間接疑問文の3つのパターン②

間接疑問文には3つのパターンがある。
どのパターンでも，接続詞や疑問詞のあとは
「（主語）＋動詞」の順になる。

パターン2 は「何？」「どこ？」など「Yes, No」では答えられない疑問を文の中にふくんでいます。

STEP1 くっつけたい2つの英文を並べる。

I know ＋ What is Shintaro?
　　　　　　疑問文

STEP2 うしろの疑問文を肯定文にし、前に what を入れる。

私は，慎太郎君の仕事が何かということを知っています。

I know **what** Shintaro is.
　　　疑問詞＋主語＋動詞

パターン3 は「だれ」が主語になる疑問を文の中にふくんでいます。

STEP1 くっつけたい2つの英文を並べる。

I know ＋ Who likes Aoi?
　　　　　　疑問文

STEP2 疑問詞を小文字からはじめてそのまま置く。

私は，だれがあおいさんを好きかを知っています。

I know **who** likes Aoi.
　　　疑問詞＋動詞＋目的語

> Who likes Aoi?
> 　だれがあおいさんを好きですか。
> who likes Aoi
> 　だれがあおいさんを好きかということ

練習問題

次の（　　　）に適語を入れてください。

（1）私はだれを直美さんが好きか知っています。

I know（　　　）（　　　）（　　　）.

（2）私はだれが直美さんを好きか知っています。

I know（　　　）（　　　）（　　　）.

（3）私は酒井さんがどこに住んでいるか知りません。

I don't know（　　　）Ms.Sakai（　　　）.

（1）who Naomi likes　　（2）who likes Naomi　　（3）where, lives

69 「〜ですね」で覚える付加疑問文

付加疑問文は,「〜ですか」ではなく,「〜ですね」という意味をあらわす疑問文。
基本のかたちは,「否定,疑問？」という公式で覚えるとよい。

付加疑問文の公式には2つの種類があります。

例 You are busy, aren't you?　　あなたはいそがしいですね。
　　肯定　　,否定疑問

例 You aren't busy, are you?　　あなたはいそがしくないですね。
　　否定　　,疑問
※返答は,「いそがしい」なら Yes. で「いそがしくない」なら No.

基本のかたち以外にも,次のようなパターンがあります。

命令文パターン
例 勉強しなさいね。
　　You <u>must</u> study, <u>will you</u>?
　= Study, <u>will you</u>?

let's パターン
例 勉強しましょうよ。そうしませんか。
　　<u>Let's</u> study, <u>shall we</u>?

⚠ ここをまちがえる！
✗ That boy can speak Japanese, can't that boy?
○ That boy can speak Japanese, <u>can't he</u>?
英語では,同じ名詞をさしていると考えられるときは,2回目から代名詞を使うのです。

練習問題
次の（　　）に適語を入れてください。
（1）あなたは日本語を話しますよね。
　　You speak Japanese, （　　）（　　）？
（2）あなたは日本語を話しませんよね。
　　You don't speak Japanese, （　　）（　　）？
（3）歌いましょう。そうしませんか。
　　（　　）sing, （　　）（　　）？

80　（1）don't you（2）do you　（3）Let's, shall we

8日目

現在完了形・受動態

8日目では…
現在完了形
受動態の法則を紹介します。
これらを理解できれば，英語の表現の幅が一気に広がりますよ！
苦手な人が多い文法項目なので，疑問点があったら質問券も活用して
くださいね。

70 過去と現在をつなぐ現在完了形

現在完了形は，過去と現在を結んでいる。
（1）継続（2）経験（3）完了（4）結果の用法がある。
「have ＋過去分詞形」で，過去分詞形が過去をあらわし，have が現在をあらわす。

① 継続	過去のことが今も続いているとき
② 経験	過去の経験が今も心に強く残っているとき
③ 完了	過去のことが今完了したかどうか述べるとき
④ 結果	「継続」の結果，今もそのままであるとき

ずっと
いそがしい

きのう　今

① 継続

例 私はきのうから今までいそがしい。　I have been busy since yesterday.

例 私は5年間英語を勉強しています。　I have studied English for five years.

② 経験

例 あなたは今までに東京タワーを見たことがありますか。

Have you ever seen Tokyo Tower?

例 私は一度も東京タワーを見たことがありません。

I have never seen Tokyo Tower.

③ 完了

例 あなたはもうこの本を読みましたか。　Have you read this book yet?

例 私はまだこの本を読んでいません。　I haven't read this book yet.

例 私はちょうどこの本を読んだところです。

I have just read this book.

例 私はすでにこの本を読みました。

I have already read this book.

④ 結果

例 私は私の時計を失ったままです。I have lost my watch.

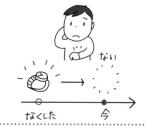

ない

なくした　今

練習問題

次の（　　　）に適語を入れてください。

（1）私はけさから今までひまです。

I（　　　）（　　　）free（　　　）this morning.

（2）私は去年から丹波篠山に住んでいます。

I（　　　）（　　　）in Tamba-Sasayama（　　　）last year.

（3）私は1度も富士山を見たことがありません。

I（　　　）（　　　）（　　　）Mt.Fuji.

（1）have been, since（2）have lived, since　（3）have never seen

71 どっちが昔？ 過去完了形

過去の２つの出来事のうち，一方が先に起こったことを示すときに「had ＋過去分詞形」であらわす。
ただし，次の動作がはじまる前に最初の動作が終わっていたことを強調するとき以外は，どちらも過去形でよい。

過去完了形でよく使われる接続詞

when 　〜したとき	till〔until〕（〜するとき）まで
before 　〜した以前に	after 　〜してしまったあとで

先に起こったことは**過去完了形**であらわします。

私が駅に着いた
電車が出た　　　　今

例 私が大阪駅に着いたときには，すでにその電車は出てしまっていた。

When I arrived at Osaka Station, the train had already left.
　　　　過去形　　　　　　　　　　　　　　　　過去完了形

= I arrived at Osaka Station **after** the train had already left.

= The train had already left **before** I arrived at Osaka Station.

最初の動作が終わっていたことを強調しない場合は**過去形**でよいのです。

例 その電車が出るとすぐに，私は大阪駅に着いた。

As soon as the train left, I arrived at Osaka Station.
　　　　　　　過去形　　　過去形

例 私が大阪駅に着くより前に，その電車は出てしまった。

The train left **before** I arrived at Osaka Station.
　　　　過去形　　　　　　　過去形

練習問題 ....

次の（　　　）に適語を入れてください。

（１）私が大阪駅に着いたとき、京都行の始発電車がすでに出てしまっていた。

(a) （　　　　　）I reached Osaka Station,the first train for Kyoto （　　　　）already （　　　　）.

(b) I reached Osaka Station （　　　　） the first train for Kyoto （　　　　）already （　　　　）.

(c) The first train for Kyoto （　　　）already （　　　）（　　　　）I reached Osaka Station.

（２）君は私を見るとすぐに逃げた。

（　　　）（　　　）（　　　　）you （　　　）me, you （　　　）away.

（１）(a) When,had,left　(b) after,had,left　(c) had,left before　（２）As soon as, saw, ran

72 前しか見ない未来完了形

未来完了形は，「will have ＋過去分詞形」。
未来のあるときまでの「完了，結果，経験，継続」をあらわす。

現在完了形は、過去と現在を結びますが、
未来完了形は現在と未来を結びます。

例 私たちは来年の今ごろは卒業しているだろう。

We <u>will have graduated</u> about this time next year.

will ＋ have ＋過去分詞形

例 もし私がもう一度司法試験を受けると，私はそれを三度受けたことになります。

If I take the bar exam again, I <u>will have taken</u> it three times.

例 私は明日東京へ行きます。そうすれば，私はそこに２回行ったことになります。

I'll go to Tokyo tomorrow. Then I'<u>ll have been</u> there twice.

ココが大切

例 ①私たちの学校は，今月末までに完成してしまうでしょう。

Our school <u>will have been completed</u> by the end of this month.

例 ②私たちの学校は，今月末までに完成するでしょう。

Our school <u>will be completed</u> by the end of this month.

この２つはどちらも意味が同じです。「完成する」ということを強調したければ①の
英文を使って、そうでなければ②の英文でよいのです。

練習問題

次の（　　　）に適語を入れてください。

（1）私たちの事務所は、3月末までには完成してしまうでしょう。

　Our office（　　　）（　　　）（　　　）completed by the end of March.

（2）もし私が東大の入試をもう一度受けると、私はそれを4度受けたことになります。

　If I take the exam for Tokyo University（　　　）, I（　　　）（　　　）（　　　）it four times.

（3）私は明日京都へ行きます。そうすれば、私はそこへ3回行ったことになります。

　I will go to Kyoto tomorrow, Then I（　　　）（　　　）（　　　）（　　　）three times.

（1）will have been　（2）again,will have taken　（3）will have been there

73 過去分詞形で時制をあやつる

「1つ目の動詞よりも2つ目の動詞の方が以前に起こった」とはっきり言いたいときは「to + have ＋過去分詞形」，「前置詞＋ having ＋過去分詞形」，「動詞＋ having ＋過去分詞形」のどれかを使う。

to + have ＋過去分詞形のパターンとその書きかえ

例 トニー君は先生だったそうです。

Tony is said <u>to have been</u> a teacher.

It is said **that** Tony <u>was</u> a teacher.

例 トニー君はピアニストだったように見える。

Tony seems <u>to have been</u> a pianist.

It seems **that** Tony <u>was</u> a pianist.

例 トニー君はピアニストだったように見えた。

Tony seemed <u>to have been</u> a pianist.

It seemed **that** Tony <u>had been</u> a pianist.

Tony was a teacher.

昔　今

前置詞＋ having ＋過去分詞形のパターンとその書きかえ

例 トニー君はトランプで負けたことがないということを自慢しています。

Tony is proud <u>of not having lost</u> at cards.

Tony is proud **that** he <u>hasn't lost</u> at cards.

例 私はあなたが私に会いに来なかったことを残念に思っています。

I'm sorry <u>for</u> your <u>not having come</u> to see me.

I'm sorry **that** you <u>didn't come</u> to see me.

動詞＋ having ＋過去分詞形のパターンとその書きかえ

例 私はあなたに電話をしたことがあるのを覚えています。

I remember <u>having called</u> you.

I remember **that** I <u>called</u> you.

> 「君に出会ったことを覚えている」は remember <u>meeting</u> you と remember <u>having met</u> you の2種類の言い方があります。

練習問題

次の（　　　　）に適語を入れてください。

（1）私の父は医者だったそうです。

My father is （　　　　）（　　　　）（　　　　）（　　　　） a doctor.

（2）薫さんのお父さんは金持ちだったように見える。

Kaoru's father seems （　　　　）（　　　　）（　　　　） rich.

（3）薫さんのお父さんは金持ちだったように見えた。

Kaoru's father seemed （　　　　）（　　　　）（　　　　） rich.

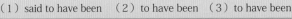
（1）said to have been　（2）to have been　（3）to have been

74 受動態（受け身）の基本

受動態の文は，「〜された」をあらわす。
現在形なら is, am, are
過去形なら was, were
未来形なら will be のあとに過去分詞形を置く。

受動態の英文では，時制を be 動詞であらわします。
①〜⑧の英文を 50 回ぐらいくり返し声に出して覚えてください。

① It is done by Tony.　　　　　現在形　　それはトニー君によってされる。
　　be 動詞＋過去分詞形　　⇔ Tony does it.

② It was done by Tony.　　　　過去形　　それはトニー君によってされた。

③ It will be done by Tony.　　未来形　　それはトニー君によってされるでしょう。

④ It is being done by Tony.　　現在進行形　それはトニー君によってされているところです。

⑤ It was being done by Tony.　過去進行形　それはトニー君によってされていたところです。

⑥ It has been done by Tony.　　現在完了形　それはトニー君によってされてしまった。

⑦ It had been done by Tony.　　過去完了形　それはトニー君によってされてしまったのだった。

⑧ It will have been done by Tony.　未来完了形　それはトニー君によってされてしまっているでしょう。

受け身の文では
「by ＋名詞」で，（〜によって）
といっしょに使われる
ことが多いよ

👨‍🏫 ココが大切

③ It will be done by Tony.

will（〜でしょう）以外に，can（〜できる），must（〜にちがいない），may（〜かもしれない）
を入れることもできます。

📖 練習問題 ・・

　次の（　　　　）に適語を入れてください。

（1）酒井さんの家は、木で建てられています。

　　　Ms.Sakai's house（　　　　）built of wood.

（2）直美さんの家は、石で建てられていました。

　　　Naomi's house（　　　　）built of stone.

こちらの「by ＋名詞」は
（〜までに）の意味だね

（3）池上さんの家は、5月までに建てられるでしょう。

　　　Mr.Ikegami's house（　　　）（　　　　）built by May.

  （1）is （2）was （3）will be

1日目
2日目
3日目
4日目
5日目
6日目
7日目
8日目
9日目
10日目

75 受動態は（　）（　）を使ってつくれる

能動態から受動態をつくりたいときは動詞の下に（　）（　）を置けばいい。
2つ目の（　）に過去分詞形を，
1つ目の（　）に be 動詞を入れたら，
かんたんにつくることができる。

「された」の意味をあらわす**過去分詞形**は，動詞だけでなく形容詞のはたらきをします。ただ，過去分詞形は「いつ」のことかあらわす力がないので，必ず，「be 動詞＋過去分詞形」にして「いつのことか」をあらわすのです。
能動態を受動態にするには、以下のステップをおぼえましょう。

Step1 動詞の下に（　）（　）を置く。

Tony helped me.　　トニー君は私を助けた。 能動態
（　）（　）　動詞の下に（　）を2つ置く

Step2 （　）（　）の次にきている単語を主語にして英文をつくる。

I（　）（　）by Tony.
me を主語にして I にする　by + 主語

> by の次には
> 大切なことばがくる
> はずなので，
> by him ではなく
> by Tony のように
> 名詞がくるようにし
> た方がよいのです。

Step3 2つ目の（　）に動詞の過去分詞形を，1つ目の（　）に時制に合わせた be 動詞を入れる。

I（　）（helped）by Tony.
I（was）（helped）by Tony.　　私はトニー君によって助けられた。 受動態 完成

例 We love Tony.　　私たちはトニー君が大好きです。 能動態
（　）（　）　動詞の下に（　）を2つ置く

Tony（　）（　）by us.　（Tony を主語にする）
Tony（　）（loved）by us.
Tony（is）（loved）by us. トニー君は私たちによって愛されています。 受動態 完成

🔖 練習問題 ....

次の（　　）に適語を入れてください。

（1）私はみんなにトニーと呼ばれています。

I（　　　　）（　　　　　）Tony（　　　　）everyone.

（2）このイヌはポチと名づけられた。

This dog（　　　　　）（　　　　　）Pochi.

（3）たくさんのウマがここで飼われていました。

Many horses（　　　　）（　　　　　）here.

（1）am called, by　（2）was named　（3）were kept

76 能動態タイプと受動態タイプ

「能動態タイプ」から「受動態タイプ」への書きかえをしながら、受動態を習得できる。

	能動態タイプ	受動態タイプ
現在形	do, does	〔is, am, are〕 done
過去形	did	〔was, were〕 done
現在進行形	〔is, am, are〕 doing	〔is, am, are〕 being done
過去進行形	〔was, were〕 doing	〔was, were〕 being done
未来	will do	will be done
現在完了形	〔have, has〕 done	〔have, has〕 been done
過去完了形	had done	had been done
未来完了形	will have done	will have been done

口ならしで覚えましょう

能動態タイプ		受動態タイプ
I do it.	→	It <u>is done</u> by me.
I did it.	→	It <u>was done</u> by me.
I am doing it.	→	It <u>is being done</u> by me.
I was doing it.	→	It <u>was being done</u> by me.
I will do it.	→	It <u>will be done</u> by me.
I have done it.	→	It <u>has been done</u> by me.
I had done it.	→	It <u>had been done</u> by me.
I will have done it.	→	It <u>will have been done</u> by me.

 練習問題

次の（　　　　）に適語を入れて受動態にしてください。

（1）I can't do it. → It（　　　　）（　　　　　　）（　　　　　　） by me.

（2）I must do it. → It（　　　　）（　　　　　　）（　　　　　　） by me.

（3）Can you do it? →（　　　　）（　　　　）（　　　　　　）（　　　　　） by you?

（4）Will you do it? →（　　　）（　　　　）（　　　　　）（　　　　　） by you?

（5）You are doing it. →（　　　）（　　　）（　　　　　）（　　　　　） by you.

（6）Are you doing it? →（　　　）（　　　）（　　　　　）（　　　　　） by you?

 （1）can't be done（2）must be done（3）Can it be done　（4）Will it be done　（5）It is being done
（6）Is it being done

77 受動態にできない動詞

ふつうは，能動態（自分が〜する），受動態（〜がされる）の2つのパターンで同じ意味をあらわせる。
ただし，なかには受動態にできないものもある。

```
受動態にすることができない場合
① ほかのだれの意思にも関係ない動作または状態をあらわす動詞
② 主語と動詞の次の名詞の位置を替えても意味が変わらない動詞
```

① ほかのだれの意思にも関係ない動作または状態をあらわす動詞

(1) I visited Tokyo.　私は東京を訪れた。
(2) Prime Minister Abe visited Kyoto.
　　安倍首相が京都を訪問なさった。

「私」が京都を訪れても，だれかに影響を与えることはないので，受動態はさけた方がよいのです。安倍首相だと，京都の人々や経済的に大きな影響を与えることになるので，受動態にすることができます。

Kyoto was visited by Prime Minister Abe.

- have　〜をもっている
- resemble〔ゥリゼンボー〕　〜に似ている
- cost　費用がかかる
- hold　収容できる
- want　〜をほしがっている
- lack〔レァック〕　〜が欠けている

② 主語と動詞の次の名詞の位置をかえても意味が変わらない動詞

I married Sachiko.　私は佐知子さんと結婚した。
　　主語と名詞の位置をかえる
Sachiko married me.　佐知子さんは私と結婚した。

- marry　〜と結婚する
- meet　〜と出会う

練習問題

次の（　）に適語を入れてください。
(1) 私は車を2台持っています。
　I（　）two cars.
(2) 直美さんは彼女のお母さんに似ています。
　Naomi（　）her mother.
(3) トニー君は常識が足りない。
　Tony（　）common sense.

Two cars are had by me.
とは言えないんだね

（1）have （2）resembles（3）wants〔lacks〕

78 2つ受動態ができるパターン

「見る，聞く，させる」のパターンの受動態は，「be ＋過去分詞形＋ to ＋動詞」。
「あげる，見せる，教える」のパターンは能動態が 2 つあるので，受動態も 2 つできる。

見る，聞く，させるのパターン

例） I saw Tony sing.　　　私はトニー君が歌うのを見た。〔見えた〕
　　　(　) (　) ↓

Tony (was) (seen) **to** sing by me.

例） I heard Tony sing.　　　私はトニー君が歌うのを聞いた。〔聞こえた〕
　　　(　) (　) ↓

Tony (was) (heard) **to** sing by me.

例） I made Tony sing.　　　私は無理にトニー君に歌わせた。
　　　(　) (　) ↓

Tony (was) (made) **to** sing by me.

give（～をあげる），show（～を見せる），teach（～を教える）のパターン

例） Tony teaches me English.　　　トニー君は私に英語を教えている。
　　　(　) (　) ↓

I (am) (taught) English by Tony.

例） Tony teaches English to me.
　　　(　) (　) ↓

English (is) (taught) to me by Tony.

> buy（～を買う），
> make（～をつくる），
> cook（～を料理する）などは
> to の代わりに for を使います。

練習問題 ....

次の（　　　）に適語を入れて (b) を受動態にしてください。

（1）私は無理やり私の息子に日本語を勉強させた。

（a） I (　　　) my son study Japanese.

（b） My son (　　　) (　　　) (　　　　) study Japanese by me.

（2）私は私の息子が外出するのを見た。

（a） I (　　　) my son go out.

（b） My son (　　　) (　　　) (　　　　) go out by me.

（1）(a) made　(b) was made to　　(2)(a) saw　(b) was seen to

9日目

仮定法・
比較級

9日目では…
仮定法
比較級を紹介します。
仮定法って難しい印象がありませんか？
でも長沢式英語なら「た」の数を数えるだけで OK です。
どういうことか。
詳しくは法則を読んでみてくださいね！

79 条件をあらわす if と仮定法の if

条件をあらわす if → 「もし条件がそろえば, あることがらが起こる」ときに使う。
仮定法の if → 「そんなことは起こらないが, もし起こったら」という意味で使う。

---

if 仮定法では, 過去形を使うことで次の 3 つの意味をあらわします。

> ① 現在の事実の反対
> ② 助動詞の過去形を使い, 現在形の助動詞よりも低い可能性
> ③ 助動詞の過去形を使い, 現在形の助動詞よりていねいな言い方

例 もし私が一生けん命勉強すれば, 司法試験(しほうしけん)に受かるでしょう。

If I study hard, I will pass the bar exam. 　条件

　　条件をあらわす If 節　→未来のことでも現在形

例 もし私が一生けん命勉強したら, 私は司法試験に受かるでしょう。

If I studied hard, I would pass the bar exam. 　仮定法① 現在の事実の反対

　　未来のことでも過去形　←実際には study hard していない

If I study hard… / If I studied hard…

仮定法② 低い可能性をあらわす

例 これは私のペンかもしれない。　大 可能性 小　これはもしかしたら私のペンかもしれない。

This may be my pen. 　　　　　This might be my pen.

仮定法③ ていねいな言い方

例 窓を開けてくれますか。　低 ていねいさ 高　窓を開けていただけますか。

Can〔Will〕you open the window? 　　Could〔Would〕you open the window?

練習問題

次の （　　　）に適語を入れてください。

（1）これは私のかばんでしょう。

This （　　　）（　　　） my bag.

（2）これは（もしかしたら）私のかばんでしょう。

This （　　　）（　　　） my bag.

（3）これは私のかばんかもしれない。

This （　　　）（　　　） my bag.

（4）これは（もしかしたら）私のかばんかもしれない。

This （　　　）（　　　） my bag.

> 日本語と英語がとてもよく似(に)ているところがあります。
> ～してくれますか
> 　Will [Can] you ～?
> ～していただけますか
> 　Would [Could] you ～?
> 左で過去のこととていねいさをあらわす日本語と同じように, 英語も過去形にすることでていねいな気持ちをあらわせます。

（1）will be　（2）would be　（3）may be　（4）might be

80 「た」の数を数えてつくる仮定法

1日目
2日目
3日目
4日目
5日目
6日目
7日目
8日目
9日目
10日目

日本語の中に，「た」が 1 つなら「過去形」，
「た」が 2 つなら「had ＋過去分詞形」にしてから，
if 節ではない方に could または would を入れる。

| 「もし●が〜したら、△△だなあ」 | 「た」が 1 つ→過去形 |
| 「もし●が〜したら、△△だったなあ」 | 「た」が 2 つ→ had+ 過去分詞形 |

例 もし私が 1,000 円持っていたら，私はこの本が買えるのになあ。 1コ

STEP 1 それぞれの動詞のところに「た」の数のぶん（　）を入れて文をつくる。

If I (　　) 1,000 yen, I (　　) this book.

STEP 2 「た」が 1 つなので両方の（　）に過去形を入れる。

If I (**had**) 1,000 yen, I (**bought**) this book.

STEP 3 if 節ではない方の文に could を入れて、次の動詞を原形にする。

If I had 1,000 yen, I **could** buy this book. 　仮定法
　過去形

完成

例 もし私が 1,000 円持っていたら，私はこの本が買えただろう。 2コ

STEP 1 それぞれの動詞のところに「た」の数のぶん（　）を入れて文をつくる。

If I (　　) (　　) 1,000 yen, I (　　) (　　) this book.

STEP 2 「た」が 2 つなので，「had ＋過去分詞形」を入れる。

If I (**had**) (**had**) 1,000 yen, I (**had**) (**bought**) this book.

STEP 3 if 節ではない方の文に could を入れて，その次の動詞を原形にする。

If I had had 1,000 yen, I **could have bought** this book. 　仮定法
　had ＋過去分詞形

完成

> 最後に「たぶん〜でしょう」をあらわす could〔would〕を入れると「had ＋過去分詞形」の had が have にもどるので注意

練習問題

次の（　　　）に適語を入れてください。

（1）もし私が 2,000 円持っていたら、私はこのかばんが買えるのになあ。

If I (　　　　) 2,000 yen, I (　　　　) (　　　　) this bag.

（2）もし私が 2,000 円持っていたら、私はこのかばんが買えたのになあ。

If I (　　　　) (　　　　) 2,000 yen, I (　　　　) (　　　　) (　　　　) this bag.

（1）had, could buy （2）had had, could have bought

「た」の数を数えてつくる仮定法の wish

日本語の中に，
「た」が 1 つなら「過去形」，
「た」が 2 つなら「had ＋過去分詞形」を，I wish の次につける。

---

if を使わずに「仮定」の意味をあらわす文があります。

> I wish ＋主語＋過去形＝～したらよいのになあ

例 ①トニー君がここにいたらよいのになあ。 **1 コ**

I wish Tony <u>were</u> here.
　　　　　　過去形

> I wish ＋主語＋ had ＋過去分詞形＝～したらよかったのになあ

例 ②トニー君がここにいたらよかったのになあ。 **2 コ**

I wish Tony <u>had been</u> here.
　　　　　had ＋過去分詞形

I wish を If only で言いかえることもできるよ　そのときは最後の . の代わりに ！をつけてね

仮定法なので，I や Tony の次でも were を使って，ふつうの過去時制と区別をしています。
アメリカ英語では，I was や he was のように仮定法でも was を使う人が多いようですが，正式な英語は，were です。

①と②を仮定法を使わずにあらわすと次のようになります。
　① 残念だけど，トニー君はここにいない。
　　<u>I'm sorry</u> (that) Tony isn't here.
　② 残念だけど，トニー君はここにいなかった。
　　<u>I'm sorry</u> (that) Tony wasn't here.

練習問題 ‥‥‥‥‥‥‥‥‥‥‥‥‥‥‥

次の（　　　）に適語を入れてください。
（1）直美さんがここにいたらよいのになあ。
　　　I（　　　）Naomi（　　　）here.
（2）残念だけど、直美さんはここにはいない。
　　　I'm（　　　）Naomi（　　　）here.
（3）直美さんがここにいたらよかったのになあ。
　　　I（　　　）Naomi（　　　）（　　　）here.
（4）残念だけど、直美さんはここにいなかった。
　　　I'm（　　　）Naomi（　　　）here.

I wish ～. を強調したいときは，
How I wish ～！とすることもできます。
「トニー君がここにいたらどんなによかったことか！！」
<u>How I wish</u> Tony had been here!

  （1）wish, were〔was〕（2）sorry, isn't（3）wish, had been　（4）sorry, wasn't

1日目
2日目
3日目
4日目
5日目
6日目
7日目
8日目
9日目
10日目

82 戦争が起こりうるなら現在形

仮定法の if は,
物事が起こる可能性が高いものから低いものにまとめて覚えるとよい。

「もし戦争が起こったら」を英語にするとき,仮定部分には,もし戦争が起こりうる地域であれば**現在形**を使い,現実的にありえない場合は**過去形**を使います。

〔条件がそろえば可能になる場合〕　**If** war breaks out,
現在形：もし～すれば

〔現実的には不可能な場合〕　**If** war broke out,
過去形：もし～したら

〔可能性はまずない場合〕　**If** war should break out,
万が一～したら

〔太陽が西からのぼる可能性と同じぐらい〕　**If** war were to break out,
絶対にないことだが、たとえ～したとしても

「**If ＋主語＋ should ～,**」とセットになる節の時制はふつう過去形がきますが,未来をあらわす言葉がきてもよいのです。

例 もし私がお金をもうけたら,私はその半分をあなたにあげます。
　　If I should make money, I will〔would〕give you half of it.

「**If ＋主語＋ were to ～,**」とセットになる節の時制は過去形がきます。

例 もし戦争が起こったら,あなたはどうしますか。
　　What would you do if war were to break out?

練習問題 ∙∙

次の（　　　）に適語を入れてください。

（1）もし戦争が起これば

　　If war（　　　　）out

（2）もし戦争が起こったら

　　If war（　　　　）out

（3）万が一戦争が起こったら

　　If war（　　　　）（　　　　）out

（4）絶対にないことだが、たとえ戦争が起こったとしても

　　If war（　　　　）（　　　　）break out

> If I should make money, I will
> 〔would〕give you half of it. の if が
> ない場合もあります。
> if がない場合, should が前に出ます。
> Should I make money, I will
> 〔would〕give you half of it.

（1）breaks　（2）broke　（3）should break　（4）were to

95

83 比較級と最上級

比較級→　　〜 er または more 〜であらわす。
最上級→　　the 〜 est または the most 〜であらわす。
原級比較→　as 〜 as であらわす。

程度を何かとくらべてあらわす言い方があります。tall を例に考えてみましょう。

as tall as のパターン（原級比較）

📮 私はトニー君と同じ背の高さです。

　　I am **as** <u>tall</u> **as** Tony is.

taller than のパターン（比較級）

📮 私はトニー君よりも背が高い。

　　I am **<u>taller</u> than** Tony is.

I am as tall as Tony is.
I am taller than Tony is.
の最後の is は省略される
こともあるよ

the tallest of 〔in〕 〜のパターン（最上級）

📮 私はすべての少年の中で1番背が高い。

　　I am **the** <u>tallest</u> **of all the boys**.

　　　　　　　　of＋複数名詞（多くの物の中で）

📮 私は私たちのクラスの中で1番背が高い。

　　I am **the** <u>tallest</u> **in our class**.

　　　　　　　　in＋単数名詞（1つのかたまりの中で）

⚠️ 〔ここをまちがえる！〕

長い形容詞の場合，〜 er ではなく「**more ＋形容詞**」，
the 〜 est ではなく，「**the most ＋形容詞**」を使います。
1つの英単語の中に母音（ア、イ、ウ、エ、オ）が2つ以上あると「長い」と言えます。
（例）be<u>au</u>tif<u>u</u>l（美しい），f<u>a</u>m<u>ou</u>s（有名な），c<u>a</u>ref<u>u</u>l（注意深い），diff<u>i</u>c<u>u</u>lt（難しい），
　　p<u>o</u>p<u>u</u>lar（人気のある），<u>i</u>nter<u>e</u>st<u>i</u>ng（おもしろい）

📖〔練習問題〕・・・・・・・・・・・・・・・・・・・・・・・・・・・・・・・・・・・・・・・

次の（　　　　）に適語を入れてください。

（1）佐知子さんは安紀子さんと同じぐらい美しい。

　　Sachiko is（　　　　）（　　　　）（　　　　　）Akiko is.

（2）佐知子さんは安紀子さんよりも美しい。

　　Sachiko is（　　　　）（　　　　　）than Akiko is.

（3）佐知子さんはこのクラスで1番美しい。

　　Sachiko is（　　　　）（　　　　）（　　　　）（　　　　）this class.

（1）as beautiful as　（2）more beautiful　（3）the most beautiful in

同じ　トニー
　　　より大きい　一番大きい

1日目
2日目
3日目
4日目
5日目
6日目
7日目
8日目
9日目
10日目

84 比較はひとまとめ

比較の勉強では，同じ意味の英語をひとまとめにして覚えると力がつく。
次の①～④を覚えよう。

〔比較級の法則〕

① 否定語と比較級または as ～ as をいっしょに使う→最上級をあらわす

② the highest mountain = the highest of all the mountains

③ any other mountain = the other mountains

④ as high as any other mountain = as high a mountain as any

例 富士山は日本で1番高い山です。

（1） Mt. Fuji is **the highest of** all the mountains in Japan.

（2） Mt. Fuji is **the highest** mountain in Japan.

（3） Mt. Fuji is higher **than any other** mountain in Japan.

（4） Mt. Fuji is higher **than the other** mountains in Japan.

（5） Mt. Fuji is **as high as any other** mountain in Japan.

（6） Mt. Fuji is **as high** a mountain **as any** in Japan.

（7） **No**（other）mountain in Japan is **higher than** Mt. Fuji.

（8） **No**（other）mountain in Japan is **as**〔**so**〕 **high as** Mt. Fuji.

（3） any other mountain
＝どんな他の山

（4） the other mountains
＝他の山

（5） as high as any other mountain
＝どんな他の山とも同じぐらい高い

（6） as high a mountain as any
＝どんな山とも同じぐらい高い

⚠ **ここをまちがえる！**

こんな言い方はできません。「日本のどんな他の山も富士山ほど高くない。」

Any other mountain in Japan isn't higher than Mt. Fuji.

Any other mountain in Japan isn't as high as Mt. Fuji.

not と any ＝ no　　Any からはじまっている文に not を入れることはできない

練習問題

次の（　　　）に適語を入れてください。

直美さんは彼女のクラスのすべての少女たちの中で1番やさしい。

（1） Naomi is （　　　）（　　　）（　　　）all the girls （　　　）her class.

（2） Naomi is （　　　）（　　　）（　　　）（　　　）her class.

（3） Naomi is （　　　）（　　　）（　　　）（　　　）（　　　）her class.

（4） （　　　）（　　　）（　　　）her class is （　　　）than Naomi.

（5） （　　　）（　　　）（　　　）her class is （　　　）（　　　）（　　　）Naomi.

（1）the kindest of, in （2）the kindest girl in （3）kinder than any other girl in （4）No other girl in,kinder
（5）No other girl in, as〔so〕kind as

85 「A は B ほど大きくない。」は 3 通り

「A は B ほど大きくない。」は
A isn't larger than B.
= A isn't as large as B.
= A is less large than B. であらわせる。

何かとくらべて程度をあらわす言い方はほかにもあります。

例 私はトニー君ほど背が高くない。

I am **not as** <u>tall</u> **as** Tony is.
I am **not** <u>taller</u> **than** Tony is.
I am **less** <u>tall</u> **than** Tony is.
I am **shorter than** Tony is.
Tony is **taller than** I am.

not 〜er = less
背が高くない = 背が低い
=トニー君は私より背が高い

例 私はトニー君のように背が高くない。

I am **not as** <u>tall</u> **as** Tony is.

例 私はトニー君ほど背が高くない。

I am **not** <u>taller</u> **than** Tony is.

A isn't larger than B. の not の代わりに倍数をあらわす単語を入れると「A は B の〇倍の大きさだ」の意味になります。

例 カナダは日本のおよそ 27 倍の大きさがあります。

Canada is about twenty-seven **times as** <u>large</u> **as** Japan is.
Canada is about twenty-seven **times** <u>larger</u> **than** Japan is.
Canada is about twenty-seven **times the size of** Japan is.

> twice は two times（2 倍）の意味ですが、比較級では使えません。
> 〔〇〕This book is <u>twice</u> **as** <u>large</u> **as** that one is.
> 〔✕〕This book is <u>twice</u> <u>larger</u> <u>than</u> that one is.
> 〔〇〕This book is <u>two times</u> <u>larger</u> <u>than</u> that one is.

練習問題

次の（　　　）に適語を入れてください。

私はあなたほど背が高くない。

（1）I'm not（　　　　）（　　　　　）you are.

（2）I'm not（　　　　）（　　　　）（　　　　　）you are.

（3）I'm（　　　　）（　　　　）（　　　　　）you are.

（4）I'm（　　　　）（　　　　　）you are.

（5）You're（　　　　）（　　　　　）I am.

 （1）taller than（2）as tall as （3）less tall than　（4）shorter than　（5）taller than

1日目
2日目
3日目
4日目
5日目
6日目
7日目
8日目
9日目
10日目

86 superior に than はいらない

比較級の意味を持つ形容詞は than の代わりに to を使う。
superior to → （より）すぐれている　　　inferior to → （より）おとっている
junior to → 　（より）年下の = younger than
senior to → 　（より）年上の = older than

何かとくらべて程度をあらわす言い方は比較級でない言い方でもできます。

例 これはあれよりもすぐれている。
　　This is **superior to** that.
= This is **better than** that.

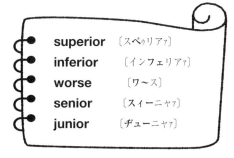

superior	〔スペゥリアァ〕
inferior	〔インフェリアァ〕
worse	〔ワ〜ス〕
senior	〔スィーニャァ〕
junior	〔ヂューニャァ〕

例 これはあれよりも悪い。
　　This is **inferior to** that.
= This is **worse than** that.

〜 than I am が
文法的には正しいけれど
〜 than me
と使うこともあるよ

例 藤田さんは私よりも 8 才年上です。
　　Ms. Fujita is **senior to** me by eight years.
= Ms. Fujita is eight years **older than** I am.
= Ms. Fujita is eight years **my senior**.
　　　　　　　　　年上

例 藤田さんは私の母よりも年下です。
　　Ms. Fujita is **junior to** my mother.
= Ms. Fujita is **younger than** my mother.
= Ms. Fujita is **my mother's junior**.
　　　　　　　　　年下

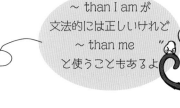

Ms. Fujita　　mother
I
15さい　　23さい　　40さい
＋8さい

練習問題

次の（　　　）に適語を入れてください。
藤田さんは酒井さんよりも 2 才年上です。
（1）Ms.Fujita is two years （　　　　　） than Ms.Sakai.
（2）Ms.Fujita is two years （　　　） （　　　　） Ms.Sakai.
（3）Ms.Fujita is （　　　） than Ms.Sakai （　　　） two years.
（4）Ms.Fujita is （　　　） （　　　） Ms.Sakai （　　　） two years.
（5）Ms.Sakai is two years （　　　） than Ms.Fujuta.
（6）Ms.Sakai is two years （　　　） （　　　） Ms. Fujita.

（1）older　（2）senior to〔older than〕　（3）older,by　（4）senior to,by　（5）younger
（6）junior to〔younger than〕

比較の変化が一目でわかる表

very much（とても）, good（よい）, well（よく, 上手に）は, どれも better, the best に変化する。
bad（悪い）は, worse〔ワ～ス〕, the worst〔ワ～ストゥ〕に変化する。
little（a がつくと, 少しの, ほとんど～ない）は less〔レス〕, the least〔リーストゥ〕に変化する。

I like English 私は英語が好きです	very much. better than music. (the) best of all the subjects.	とても 音楽よりも すべての教科の中で1番
This is これです	a good book. a better book. the best book.	よい本 よりよい本 1番よい本
I know Tony 私はトニー君を 知っています	well. better than Judy. (the) best.	よく ジュディーさんよりももっとよく 1番よく
I speak English 私は英語を話します	well. better than Tony. (the) best in our class.	上手に トニー君よりも上手に 私たちのクラスで1番上手に
This is これです	bad. worse than that. (the) worst.	悪い あれよりももっと悪い 1番悪い
I am 私です	little tired. less tired than you are. (the) least tired of us all.	ほとんどつかれていない あなたほどつかれていない 私たちみんなの中で1番つかれていない

■ 練習問題 ......

次の（　　　　）に適語を入れてください。

（1）直美さんのコンディションはよい。

　　Naomi's condition is (　　　　).

（2）直美さんのコンディションはよくなってきています。

　　Naomi's condition is getting (　　　　).

（3）直美さんのコンディションは最高です。

　　Naomi's condition is (the) (　　　　).

best の次に
名詞がないときは
the を省略するのが
ふつうだよ

　（1）good　（2）better　（3）best

10日目

分詞構文・関係代名詞

いよいよラスト,10日目です！
10日目では…
分詞構文
関係代名詞をおさえていきますよ。
関係代名詞って難しそうですが,「かたまり」の考え方を理解できれば
こわくないですよ。
あっという間の10日目ですね。
最後まで読んでわからない項目があれば,もう一度法則を読み返しま
しょう。何度読んでも疑問が消えない場合は,巻末の質問券を活用し
てください！疑問がとけてスッキリしますよ！

88 動詞の ing は３つのどれか

動詞の ing は，動名詞，現在分詞，分詞構文のどれか。

動名詞　　　　→　　　名詞のはたらき
現在分詞　　　→　　　形容詞のはたらき
分詞構文　　　→　　　副詞のはたらきをしている。

動名詞

例 <u>Living in America</u>　is fun.
アメリカに住むことは　　楽しい。

＝ It's fun <u>living in America</u>.　アメリカに住むのは楽しい。

現在分詞

例 People <u>living in America</u>　may be happy.
人々　　アメリカに住んでいる　　幸せかもしれない。
名詞を説明＝形容詞のはたらき

＝ People who live in America may be happy. アメリカに住んでいる人々は幸せかもしれない。

「～なので」は
As の他に Since や Because
でもあらわせるよ

分詞構文

例 <u>Living in America</u>,　　　I need a car.
私はアメリカに住んでいるので　私は車が必要です。

＝ **As** I live in America, I need a car.　私はアメリカに住んでいるので、(私は) 車が必要です。

例 <u>Living in America</u>,　　　I met Tony.
私がアメリカに住んでいるときに　私はトニー君に出会った。

＝ **When** I lived in America, I met Tony.
私はアメリカに住んでいるとき、(私は) トニー君に出会った。

練習問題 ....

次の（　　　）に適語を入れてください。

（１）英語を学んで習得することは大切です。

　（a）（　　　　） English is important.

　（b）（　　　　） important（　　　　） English.

（２）日本には、英語を習得しようとしている多くの学生たちがいます。

　　　There are many students（　　　　） English in Japan.

（３）英語を勉強しているので、私はアメリカ人の友だちがほしい。

　　　（　　　　） English, I want American friends.

　（１）（a）Learning　（b）It's, learning　（2）learning　（3）Studying

1日目
2日目
3日目
4日目
5日目
6日目
7日目
8日目
9日目
10日目

89 「おまけの副詞」になる分詞構文

分詞構文は副詞のはたらきをする。

つまり，おまけのはたらきをする ing のかたち。

これは，「接続詞＋主語＋動詞」で書きかえることができる。

例 私はテレビを見ながら，いつも夕食をとります。

① I always have dinner while **I am** watching TV.

接続詞＋主語＋動詞（be動詞）

while I am watching TV の代わりに as I watch TV としても「私はテレビを見ながら」をあらわすことができます。

while よりも as の方が同時に進行していることを強くあらわすことができます。

①の **I am** は省略でき，②の文がつくれます。

② I always have dinner while watch**ing** TV.

かくしても意味がわかることから，ここがおまけのはたらきをしているとわかります。

副詞

①の「接続詞＋主語＋動詞」を**副詞節**と呼んでいます。

副詞節を ing で書きかえると③の文がつくれます。②③は，分詞構文です。

③ I always have dinner, watch**ing** TV.

分詞構文 「接続詞＋主語＋動詞」と ing の書きかえ

② I always have dinner <u>while watching</u> TV.

③ I always have dinner （,） watching TV.

練習問題

次の（　　　）に適語を入れてください。

（1）私は新聞を読みながらいつも朝食をとります。

（a）I always have breakfast（　　　　　）I（　　　　　）（　　　　　）the paper.

（b）I always have breakfast（　　　　）（　　　　）the paper.

（c）I always have breakfast ,（　　　　）the paper.

（2）私は青山通りを歩いているときに、（私は）池上悟朗さんに出会った。

（a）（　　　　）I was（　　　　）along Aoyama Street, I met Goro Ikegami.

（b）（　　　　）（　　　　）Aoyama Street, I met Goro Ikegami.

（1）（a）while, am reading　（b）while reading　（c）reading　（2）（a）When[While], walking　（b）Walking along

90 分詞構文のつくり方 (1)

STEP 1　コンマの前と後ろの主語が同じ場合は「おまけの副詞節」の主語を消す。

STEP2　コンマの前と後ろの時制が同じ場合は, 接続詞をとってから動詞の ing 形に, 時制がちがう場合は「having +過去分詞形」にする。

〔時制が同じとき〕

例 As I was tired, I took a bath.

STEP 1 ↑ 主語が同じ ↑ →「おまけの副詞節」の I を消す。

As ✕ was tired, I took a bath.

STEP 2 ↑動詞の時制が同じ↑ →副詞節を動詞の ing 形にする。

→ Being tired, I took a bath. 分詞構文　完成

※ただし、Being を省略するのがふつう　主語を消す―

つかれていたので、私はお風呂に入りました。

〔時制がちがうとき〕

例 After I had finished my homework, I watched TV.

STEP 1 ↑ 主語が同じ ↑ →「おまけの副詞節」の I を消す。

After ✕ had finished my homework, I watched TV.

STEP 2 ↑ 動詞の時制がちがう ↑→「having +過去分詞形」にする。

→ Having finished my homework, I watched TV. 分詞構文　完成

私は宿題を終えてから, テレビを見ました。

例 As I lived in America, I can speak English.

STEP 1 ↑ 主語が同じ ↑ →「おまけの副詞節」の I を消す。

As ✕ lived in America, I can speak English.

STEP 2 ↑ 動詞の時制がちがう ↑ →副詞節を「having +過去分詞形」にする。

→ Having lived in America, I can speak English. 分詞構文　完成

私はアメリカに住んでいたので、英語を話せます。

―練習問題―

次の（　　　）に適語を入れてください。

（1）私はつかれていたので、(私は) 寝ました。

(a)（　　　　　）I was tired, I went to bed.

(b)（　　　　　）tired, I went to bed.

(c)（　　　　　）, I went to bed.

（2）私は昼食をとってから、(私は) テレビを見ました。

(a)（　　　　）I (　　　　)（　　　　　）lunch, I watched TV.

(b)（　　　　）（　　　　　）lunch, I watched TV.

（1）(a) As (b) Being (c) Tired（2）(a) After, had eaten (b) Having eaten

91 分詞構文のつくり方 (2)

1日目
2日目
3日目
4日目
5日目
6日目
7日目
8日目
9日目
10日目

> **STEP 1** １つ目の主語と２つ目の主語がちがう場合は，１つ目の主語を残して動詞の ing 形にする。
> （コンマの前後の時制をくらべて動詞の ing 形か「having ＋過去分詞形」を選ぶ）。
> **STEP2** 接続詞が入っている英文に not があるときは，「Not ＋動詞の ing 形」で始める。

〔主語がちがうとき〕

例 As it was a nice day today, I went fishing.　今日はよい天気だったので，私はつりに行った。
STEP 1 ↑ 主語がちがう・時制は同じ ↑　→１つめの主語を残して ing 形にする。
→ It being a nice day today, I went fishing.　分詞構文　完成
主語＋being

〔not が入っているとき〕

例 As I didn't know what to say, I remained silent. 私は何と言ったらよいかわからなかった
STEP 1 ↑　主語が同じ　↑　　　　　ので，（私は）だまっていました。
　　　時制が同じ　　　→「おまけの副詞節」の I を消し、ing 形にする。
As ✗ not knowing what to say, I remained silent.
STEP 2 as が入っている英文に not があるので「Not＋ 動詞の ing 形」にする。
→ Not knowing what to say, I remained silent.　分詞構文　完成

 これだけ覚えよう

分詞構文は決まり文句でよく使われます。

considering your age　あなたの年齢のことを考慮に入れると
generally speaking　一般的にいえば
talking of tennis　テニスといえば
judging from the look of the sky　空模様から判断すると
weather permitting　天気が許せば，天気がよければ

これも「接続詞＋主語＋動詞」
を使って書きかえることが
できるよ
generally speaking
＝ if we speak generally

練習問題 ....

次の（　　　　）に適語を入れてください。

（１）私の仕事が終わったので、私は急いで家に帰った。

(a)（　　　　）my work（　　　　）over, I hurried home.

(b)（　　　　）（　　　　）（　　　　）over, I hurried home.

（２）私は今50円を持っていないので、（私は）このペンが買えません。

(a)（　　　　）I don't（　　　　）50 yen now, I can't buy this pen.

(b)（　　　　）（　　　　）50 yen, I can't buy this pen.

 （１）(a) As,was　(b) My work being　（２）(a) As, have　(b) Not having

92 関係代名詞と「かたまり」

英文の最後の名詞をはじめに置くと、その名詞を説明した「名詞のはたらきをする かたまり」になる。
名詞の次にどんな関係代名詞を持ってくるかは、きまりがある。

関係代名詞は〔文〕を〔名詞のはたらきをするかたまり〕にします。

例 I know that boy.　　　私はあの少年を知っています。

　　　　　　　最後の名詞を最初に移動すると〔かたまり〕に

that boy whom I know　私が知っているあの少年
　　　　関係代名詞

例 I like this cap.　　　私はこのぼうしが好きです。

　　　　　　　最後の名詞を最初に移動すると〔かたまり〕に

this cap which I like　私が好きなこのぼうし
　　　　関係代名詞

・that boy (whom) I know
・this desk (which) I want
のように、省略したら文にならないとき
whom や which がなくてもよいのです。
・that boy who is speaking English
は、who を省略したらふつうの文ができ
るので，省略できません。

主格	〈だれが〉 という疑問が生まれるとき	who	人	
	〈何が〉 という疑問が生まれるとき	which	物・動物	
	〈だれが〉〈何が〉 という疑問が生まれるとき	that	人・物・動物	
所有格	〈だれの〉〈何の〉 という疑問が生まれるとき	whose	人・物・動物	
目的格	〈だれを〉 という疑問が生まれるとき	whom	人	
	〈何を〉 という疑問が生まれるとき	which	物・動物	
	〈だれを〉〈何を〉 という疑問が生まれるとき	that	人・物・動物	

練習問題 ‥‥‥‥‥‥‥‥‥‥‥‥‥‥‥‥

主格・目的格
では代わりに
that を使う
こともできるよ

次の（　　　）に適語を入れてください。

（1）私はこのネコが好きです。
　　（　　　）（　　　　　）this cat.

（2）私が好きなこのネコ
　　（　　）（　　　）（　　　）（　　　）（　　　）

（3）私はあの先生がとても気に入っています。
　　I like that teacher（　　　）（　　　）.

（4）私がとても気に入っているあの先生
　　（　　）（　　　）（　　　）（　　　）（　　　）（　　　）

（1）I like　（2）this cat which I like　（3）very much　（4）that teacher whom I like very much

106

1日目
2日目
3日目
4日目
5日目
6日目
7日目
8日目
9日目
10日目

93 関係代名詞に前置詞がついてくるとき

関係代名詞で〔かたまり〕にしたときに，前置詞がついてくるパターンがある。
もとの文に前置詞がついていれば、関係代名詞にしたときも，前置詞がつく。

関係代名詞に**前置詞が必要か**どうかの確認をわすれないでください。

例 私はトニーの部屋に入りました。

I went <u>into</u> Tony's room.　　文

I entered Tony's room.　　文

例 私が入ったトニーの部屋

Tony's room **which** I went into　　かたまり

Tony's room **which** I enter　　かたまり

もとの文に into がついている文は、関係代名詞にしたときも，into が必要です。

動詞には「～について、～と、～に」のような一見前置詞が必要であるように思えるのにも関わらず，前置詞が必要ではない動詞があるので，注意が必要です。

例 私はあの女性と結婚したい。　　　　　私が結婚したいあの女性

I want to <u>marry</u> that lady.　　that lady **whom**〔**who**〕I want to <u>marry</u>

I want to <u>get married to</u> that lady.　　that lady **whom**〔**who**〕I want to <u>get married to</u>

話し言葉や日常の書き言葉では，whom の代わりに who を使う人が多くなっているけど，正式な文では whom を使う必要があるよ

練習問題

次の（　　　）に適語を入れてください。

（1）私はこの部屋に住みたい。

I want to （　　　　）（　　　　）this room.

（2）私が住みたいこの部屋

this room （　　　　）I want to （　　　　）（　　　　）

（3）私は池上さんの事務所を訪れた。

I （　　　　）（　　　　）Mr. Ikegami's office.

（4）私が訪れた池上さんの事務所

Mr. Ikegami's office （　　　）（　　　　）（　　　）（　　　）

（1）live in　（2）which, live in　（3）called at　（4）which I called at

94 関係代名詞 that を使う場合

関係代名詞 who, whom, which の代わりに that も使われる。
関係代名詞の前にくる名詞や名詞にあたることばによって，whom, which よりも
that が好まれる場合がある。

that が好まれる場合の例

the only ＋名詞	唯一の物
all the ＋名詞または all	すべてのこと、すべての物
the〔first, second など〕＋名詞	〜番目の物
the ＋最上級＋名詞	1番〜な物
anything	すべての物
nothing	何も〜ない

（A）私が持っている物はどんな物でも
　　anything（that）I have
　＝ whatever I have

（B）私が持っているすべての物
　　all（that）I have
　＝ what I have

all, anything, the only 〜
といっしょに使われる目的格の that は
省略されることがふつう。
ただし，the only student that came
here（ここにきた唯一の学生）のように
主格の場合は，省略しません。

（C）それが私が知っているすべてのことです。
　　That's all（that）I know.

結果的に
同じ意味

（D）それが私が知っている唯一のことです。
　　That's the only thing（that）I know.

呼ばれたのに省略され
るんですか、私…

📖 **練習問題** ....

次の（　　　）に適語を入れてください。

（1）私が今持っているすべてのお金

　　（　　　　）（　　　　）（　　　　）（　　　　）I have now

（2）私が今持っている唯一のお金

　　（　　　　）（　　　　）（　　　　）（　　　　）I have now

（3）大阪を出発して東京へ向かったその始発の列車

　　the（　　　　）train（　　　　）left Osaka for Tokyo

（1）all the money that　（2）the only money that　（3）first, that〔which〕

1日目
2日目
3日目
4日目
5日目
6日目
7日目
8日目
9日目
10日目

95 関係代名詞　省略の秘密

名詞を説明している単語が
1 単語のとき　　　　→ that（1 単語）boy
2 単語以上のとき　→ that boy（2 単語以上）
ただし，これは「関係代名詞＋ be 動詞」を省略した場合の法則である。

関係代名詞が省略されるパターン

（1）be 動詞＋〜 ing〔現在分詞形〕　〜している

（2）be 動詞＋〜 ed〔過去分詞形〕　〜された , 〜されている

これらのパターンのときは「who〔which〕＋ be 動詞」を省略することができます。
ただ、省略のしかたにもルールがあります。

名詞を説明している単語が 1 単語のとき

例　走っているあの少年

　　that boy（who is）running
　　　　　↑_____　running 1 単語で名詞を説明

that（1 単語）boy の法則にあてはめて→
　　that running boy

that running boy

that boy running over there

名詞を説明している単語が 2 単語以上のとき

例　あそこで走っているあの少年

　　that boy（who is）running over there
　　　　　↑_____　2 単語以上で名詞を説明

that boy（2 単語以上） の法則にあてはめて
　　that boy running over there

練習問題 ....

次の（　　　　）に適語を入れてください。

（1）あの少年は泳いでいます。

　　That boy（　　　　）（　　　　）.

（2）泳いでいるあの少年

　　（　　　　）（　　　　）（　　　　）

（3）あの少年はあそこで泳いでいます。

　　That boy（　　　　）（　　　　）over there.

（4）あそこで泳いでいるあの少年

　　that boy（　　　　）（　　　　）（　　　　）

（1）is swimming（2）that swimming boy（3）is swimming（4）swimming over there

96 関係代名詞と関係副詞の関係

「関係代名詞＋〜前置詞」と「前置詞＋関係代名詞」は、関係副詞で書きかえられる。

```
┌─────────────────────────────┐
│        関係副詞の法則         │
│  関係代名詞＋〜前置詞＝関係副詞  │
│  前置詞＋関係代名詞＝関係副詞   │
└─────────────────────────────┘
```

例 the house **which** I live **in**　　私が住んでいるその家　[関係代名詞＋〜前置詞]
　　　関係代名詞　　前置詞

＝ the house **in** **which** I live　　[前置詞＋関係代名詞]
　　前置詞＋関係代名詞

＝ the house **where** I live　　[関係副詞]
　　関係副詞

前置詞が必要かどうかは，主語から始まるふつうの文に前置詞が入るか調べれば，すぐにわかります。

　　　　私はその家に住んでいます。 I live **in** the house.　[文]

　　私はその時間に生まれました。 I was born **at** the time.　[文]

　↓私が生まれたその時間

the time **which** I was born **at**　[関係代名詞＋〜前置詞]

the time **at** **which** I was born　[前置詞＋関係代名詞]

the time **when** I was born　[関係副詞]

練習問題 ....

次の（　　　　）に適語を入れてください。

（1）直美さんが生まれたその日

　（a）the day（　　　　）Naomi was born（　　　　）

　（b）the day（　　　　）（　　　　）Naomi was born

　（c）the day（　　　　）Naomi was born

（2）直美さんが生まれたこの家

　（a）this house（　　　　）Naomi was born（　　　　）

　（b）this house（　　　　）（　　　　）Naomi was born

　（c）this house（　　　　）Naomi was born

（1）（a）which, on　（b）on which　（c）when　（2）（a）which, in　（b）in which　（c）where

1日目
2日目
3日目
4日目
5日目
6日目
7日目
8日目
9日目
10日目

97 how は「こういうふうにして」 why は「そういうわけで」

関係副詞には , when, where, why, how などがある。
それらの代わりに that を使うこともあるが、省略されることが多い。

関係副詞 **how** は、the way how とは言えません。the way か how と言うのが正解で, 意味は「こういうふうにして」と訳せばよいのです。

例┌ こういうふうにして, 私はここにきました。

    This is <u>the way</u>〔in which,that〕I came here.

    This is <u>how</u> I came here.

✖ This is <u>the way how</u> I came here.

the way = how

関係副詞 **why** は、「そういうわけで」と訳します。

例┌ そういうわけで, 私は遅れました。

    That's <u>the reason</u> for **which** I was late.
           前置詞＋関係代名詞

    That's <u>the reason</u> **why** I was late.
        関係副詞

in which と that は
省略されることが
多いよ

    That's **why** I was late.　〔the reason を省略した言い方〕

〔for which = why = that〕は省略されることがあるので、下の言い方もできます。

    That's <u>the reason</u> I was late.

練習問題

次の（　　　）に適語を入れてください。

（1）そういうわけで, 直美さんはきませんでした。

  （a）That's the （　　　）（　　　　　）Naomi didn't come for.（まれ）

  （b）That's the （　　　）（　　　）（　　　　）Naomi didn't come.

  （c）That's （　　　）（　　　）（　　　　）Naomi didn't come.

  （d）That's （　　　）（　　　）Naomi didn't come.

  （e）That's （　　　）Naomi didn't come.

（2）こういうふうにして、私は英語を身につけました。

  （a）This is （　　　）（　　　　）I learned English.

  （b）This is （　　　）I learned English.

（1）（a）reason which　（b）reason for which　（c）the reason why　（d）the reason　（e）why
（2）（a）the way　（b）how

98 関係代名詞 what の 3 つの意味

関係代名詞の what は、「物」「こと」「姿」のどれかをあらわす
（名詞を説明している単語が 2 単語以上のとき）。

関係代名詞 what は，大きく分けて 3 つのパターンがあります。

パターン1 「what ＋不完全な文」で「物」

例 これが私がほしい物です。

This is **what** I want.

例 それが私が知りたいことです。

That's **what** I want to know.

あなたが正しいと思うことをやりなさい。
Do <u>what</u> you think is right.

パターン2 「what is ＋単語」で「〜である物〔こと〕」

例 私の物はあなたの物です。

What is mine is yours.

パターン3 「what I am〔was〕」で、「私の姿」

例 私が今日あるのは渡辺先生のおかげです。

I owe **what** <u>I am</u> today to Mr. Watanabe.
    現在の私の姿

Mr. Watanabe has made me **what** <u>I am</u> today.

例 私は 10 年前の私ではありません。

I'm not **what** <u>I was</u> ten years ago.
   過去の私の姿　＝what I used to be

What is mine is yours...

練習問題 ....

次の（　　　　）に適語を入れてください。

（1）私が考えていることはこういうことだよ。

 Here is（　　　　）（　　　　）（　　　　）.

（2）それが私が知りたいことです。

 That's（　　　　）（　　　　）（　　　　）（　　　　）（　　　　）.

（3）しかし、それじゃ前に君が言ったこととちがうじゃないか。

 But that's not（　　　　）（　　　　）（　　　　）before.

（4）今の直美さんは昔の彼女とちがうよ。

 Naomi isn't（　　　　）（　　　　）（　　　　）.

（1）what I think　（2）what I want to know　（3）what you said　（4）what she was

1日目
2日目
3日目
4日目
5日目
6日目
7日目
8日目
9日目
10日目

99 関係代名詞の名詞タイプと副詞タイプ

whoever, whomever, whatever などの関係代名詞は、名詞としてだけでなく副詞としても使われる。

名詞タイプ→「〜するのは ○○でも」

副詞タイプ→「たとえ〜でも」

名詞タイプは「〜するのは○○でも」の意味で、<u>文の一部として</u>使われます。

whoever =	anyone who	〜するのはだれでも
whomever =	anyone whom	〜はだれでも
whatever =	anything that	〜というのは何でも

副詞タイプは「たとえ〜でも」の意味で、<u>「,」（コンマ）で文が2つに分かれます。</u>

whoever =	no matter who	たとえだれが〜でも
whomever =	no matter whom	たとえだれを〜でも
whatever =	no matter what	たとえ何が〜しようとも

例 You like anyone.　　　あなたはだれでも好きです。

〔名詞タイプ〕に変えると……

　　あなたが好きな人はだれでも　　**whomever** you like
　　　　　　　　　　　　　　　　　anyone whom you like

〔副詞タイプ〕に変えると……

　　たとえあなたがだれを好きでも　**whomever** you like
　　　　　　　　　　　　　　　　　no matter whom you like

🐒— 練習問題 —..

次の（　　　）に適語を入れてください。

（1）だれでも佐知子さんを好きだよ。

　　　（　　　　）likes Sachiko.

（2）佐知子さんを好きな人はだれでも

　（a）（　　　　）（　　　　）likes Sachiko ＝（b）（　　　　）likes Sachiko

（3）たとえだれが佐知子さんを好きでも

　（a）（　　　）（　　　）（　　　）likes Sachiko ＝（b）（　　　　）likes Sachiko

（1）Anyone （2）(a) anyone who　(b) whoever　（3）(a) no matter who　(b) whoever

113

本書では読み方をカタカナやひらがななどで表しています。発音の表記も長沢式英語なので，きまりを覚えましょう。

〔エァ〕	æ	エの口の形でアといえば、この音を出せます。
〔ヴ〕	v	下くちびるをかむようにしてブといえば、この音を出せます。
〔フ〕	f	下くちびるをかむようにしてフといえば、この音を出せます。
〔ア～〕	əːr	口を小さく開けて〔ア～〕といいます。
〔アー〕	ɑːr	口を大きく開けて〔アー〕といいます。
〔オ〕	l	この本では〔オ〕と表記しています。 舌を上の歯ぐきの裏につけて発音します。
〔ゥル〕	r	ウと軽くいいながらルといえば、この音を出せます。
〔ツ〕	dz	ツの音をにごらせた〔ツ〕の音で発音してください。
〔ズ〕	z	スの音をにごらせた〔ズ〕の音で発音してください。
〔す〕	θ	舌先を上の歯の裏側（うらがわ）に軽くあてて〔す〕というつもりで息を出すとこの音が出ます。
〔い〕	j	日本語でイーといいながら、舌の先をあごの天井すれすれまで近づけて口の両端を左右に引くとこの音を出せます。
	•	これは音の省略の記号として使っています。

That is〔ゼァッティズ〕は人によっては〔ゼァッリィズ〕と発音されることがあります。このように〔タ，ティ，トゥ，テ，ト〕が〔ラ，リ，ル，レ，ロ〕のように発音されることがあります。

母音（ア，イ，ウ，エ，オ）が2つ続いているときは，前の母音を強くいってから2つめの母音を軽くつけくわえるように発音します。〔エーィ〕〔 ei 〕〔オーゥ〕〔 ou 〕〔アーィ〕〔 ai 〕〔アーゥ〕〔 au 〕

質問券について

長沢先生が直接回答します！

この本をよんでわからないところがあったら…

下の質問券に記入して，明日香出版社まで FAX を送ってください。

長沢先生から直接回答をさしあげます。

質問は郵送でも受け付けております。

わからないところがなくなるまで，長沢先生がていねいにフォローしてくれます。

ぜひご利用ください！

◎明日香出版社◎

FAX： 03-5395-7654　　　　住所：〒 112-0005 東京都文京区水道 2-11-5

<図解>中学・高校 6 年分の英語が 10 日間で身につく本

ご質問の際は必ずご記入ください。

お名前

年齢

TEL
（日中つながる番号をお願いします）
FAX

ご住所
〒

送り先　明日香出版社 FAX:03-5395-7654

[著者]

長沢寿夫（ながさわ・としお）

1980 年、ブックスおがた書店のすすめで、川西、池田、伊丹地区で家庭教師を始める。
1981~1984 年、教え方の研究のために、塾、英会話学院、個人教授などで約 30 人の先生について英語を習う。
その結果、やはり自分で教え方を開発しなければと思い、長沢式勉強法を考え出す。
1986 年、旺文社『ハイトップ英和辞典』の執筆・校正の協力の依頼を受ける。
1992 年、旺文社『ハイトップ和英辞典』の執筆・校正のほとんどを手がける。

現在は塾で英語を教えるかたわら、英語書の執筆にいそしむ。
読者からの質問に直接丁寧に答える「質問券」制度も好評。

[主な著書]

● 『中学 3 年分の英語を 3 週間でマスターできる本』（43 万部突破）
● 『中学・高校 6 年分の英語が 10 日間で身につく本』（23 万部突破）
● 『中学・高校 6 年分の英単語が 10 日間で身につく本』（7 万部突破）
● 『中学・高校 6 年分の英作文が 10 日間で身につく本』
● 『CD BOOK 中学 3 年分の英語が 3 週間で身につく音読』
● 『CD BOOK たったの 10 問でみるみるわかる中学英語』
● 『CD BOOK たったの 10 問でみるみるわかる高校英語』
● 『中学 3 年分の英文法が 10 日間で身につく＜コツと法則＞』
● 『CD BOOK 高校 3 年分の英単語が 10 日間で身につく＜コツと法則＞』（以上、明日香出版社）
など 100 冊超。

協力：
丸橋一広　　崎山康子　　西井真
池上悟朗　　柏木純子　　田上達夫
和田薫　　　和田陽介　　足立耕一
増山欣也　　村上茂史　　和田正美
長沢徳尚　　川端利永子　　アップル英会話センター

〈図解〉中学・高校 6 年分の英語が 10 日間で身につく本

2020 年　2 月　27 日　初版発行
2023 年　1 月　26 日　第 34 刷発行

著　　　者　　長沢寿夫
発　行　者　　石野栄一
発　行　所　　明日香出版社
　　　　　　　〒112-0005　東京都文京区水道 2-11-5
　　　　　　　電話　03-5395-7650（代表）
　　　　　　　https://www.asuka-g.co.jp
印刷・製本　　株式会社フクイン

©Toshio Nagasawa 2020 Printed in Japan　ISBN 978-4-7569-2075-1
落丁・乱丁本はお取り替えいたします。
本書の内容に関するお問い合わせは弊社ホームページからお願いいたします。